ST. CECILIA CATHOLIC SCHOOL
355 ANNETTE STREET
TORONTO, ONTARIO M6P 1R3

Les joies de la lecture

Les joies de la lecture

5e année

Cahier A

Simone Bussières
Suzanne Paradis

GUÉRIN Montréal Toronto
4501, rue Drolet
Montréal (Québec) H2T 2G2 Canada
Tél.: (514) 842-3481
Téléc.: (514) 842-4923

Dépôt légal, 4e trimestre 1995
ISBN 2-7601-3971-9

Bibliothèque nationale du Québec
Bibliothèque nationale du Canada
IMPRIMÉ AU CANADA

Révision linguistique : Jacinthe Caron
Conception graphique : Nathalie Tapp
Maquette de la couverture : Linda Lemelin

La belle au bois dormant

À la découverte… *des contes de fées.*

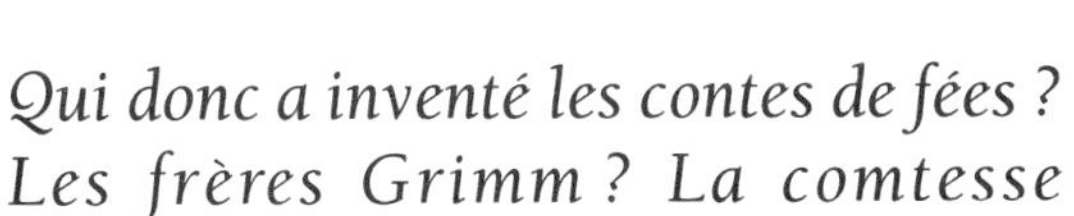

Qui donc a inventé les contes de fées ? Les frères Grimm ? La comtesse d'Aulnoy ? Walt Disney ? Non. Un écrivain français, Charles Perrault, en commença la publication avec les Contes de ma mère l'Oye, *en 1697.*

Mais les contes de fées existaient depuis très, très longtemps…

1- Qu'est-ce qu'une fée ?

Une fée est un être ______________________________ qui possède des ________________________ surnaturels et exerce une influence sur la ______________________ des êtres humains.

2- Quelle est la fée la plus célèbre ?

La fée la plus célèbre est la fée ______________________________ .

3- Qui a écrit le conte de « La belle au bois dormant » ?

L'auteur de « La belle au bois dormant » est ______________________ ________________________ .

4- Quel a été le rôle de la fée dans ce conte ?

La fée a plongé la jeune princesse dans un ______________________ qui a duré __________________ ans.

5- Certains êtres de sexe masculin possèdent les mêmes pouvoirs que les fées: les enchanteurs, les lutins, les génies. Quel est le plus connu des enchanteurs ?

Le plus connu des enchanteurs est ____________________________ .

6- Charles Perrault a écrit onze contes qu'il a réunis dans un ouvrage qui s'intitule *Contes de ma mère l'Oye*. Nomme cinq de ces contes.

Dans les *Contes de ma mère l'Oye*, on peut lire : ________________ ,

____ ,

____ ,

____ ,

____ ,

____ .

7- Hans Christian Andersen, comme Charles Perrault, a écrit des contes de fées que les enfants aiment beaucoup. Nomme quatre des contes de cet auteur danois.

____ ,

____ ,

____ ,

____ .

8- Parmi les auteurs de contes de fées, deux frères allemands ont écrit un conte très populaire, « Hansel et Gretel ». Qui sont ces deux frères ?

Les conteurs allemands qui ont publié « Hansel et Gretel » sont les frères Wilhelm et Jacob ________________________ .

9- Une grande romancière suédoise a écrit un très beau livre inspiré par son pays, la Suède : Le Merveilleux Voyage de Nils Holgersson. Quel est le nom de cette romancière ?

La romancière ________________________________ a écrit *Le Merveilleux Voyage de Nils Holgersson.*

10- Un des personnages familiers des *Mille et Une Nuits* est Ali Baba. Nomme d'autres personnages réunis dans ce livre de contes.

Parmi les personnages des *Mille et Une Nuits*, je connais

____

____ .

Revenons à ta lecture : « La belle au bois dormant ».

1- Quels sont les deux principaux personnages de « La belle au bois dormant » ?

Les deux principaux personnages de ce conte sont ____________________ et ____________________________ .

2- Quelle était l'occupation du prince dans la forêt, ce jour-là ?

Ce jour-là, le prince était ________________ ____________________ .

3- Qu'est-il arrivé au prince dans la forêt ?

Le prince ______________________________ dans la forêt.

4- Comment le prince s'est-il rendu compte qu'il était perdu ?

Le prince avait beau regarder autour de lui, il ne ______________ ______________________________________ ______________________________________ .

5- Quel signal guida le prince dans sa longue marche à travers la forêt ?

Le prince crut ______________________________ ________________ ! Mais la voix était mêlée au bruit du vent.

6- Quels animaux rencontra-t-il sur son chemin ?

Sur son chemin, le prince rencontra des ________________ , des ________________ , des ________________ et des ______________________________ .

7- Où le prince se trouvait-il quand la voix mystérieuse se tut ?

Quand la voix mystérieuse se tut, le prince vit apparaître une clairière

et, ____

____

____

____.

8- Pourquoi le prince ouvrit-il la porte ?

Le prince ouvrit la porte parce qu'il ______________________

______________________ après avoir frappé à plusieurs reprises.

9- Qui dormait dans la chambre ?

Dans la chambre, une ______________________ dormait depuis cent ans.

10- Comment le prince changea-t-il la fillette en une belle jeune fille ?

Le prince ______________________ la petite fille sur le front, ce qui la

réveilla, et elle fut tout à coup ______________________

____.

11- Quelle phrase indique que la belle jeune fille réveillée par le baiser du prince n'était pas seule dans la grosse maison de pierres des champs ?

La phrase qui indique que la jeune fille réveillée par le baiser du

prince n'était pas seule dans la maison est : ______________________

____

____.

À ton tour… *de raconter…*

Raconte à ta façon l'un des contes de fées que tu connais, comme l'a fait Gabrielle Poulin avec «La belle au bois dormant» de Charles Perrault. Inscris le titre du conte et le nom de la personne qui l'a écrit avant de commencer ton récit.

Le titre : ___________________________

Écrit par : ___________________________

L'heure des poules

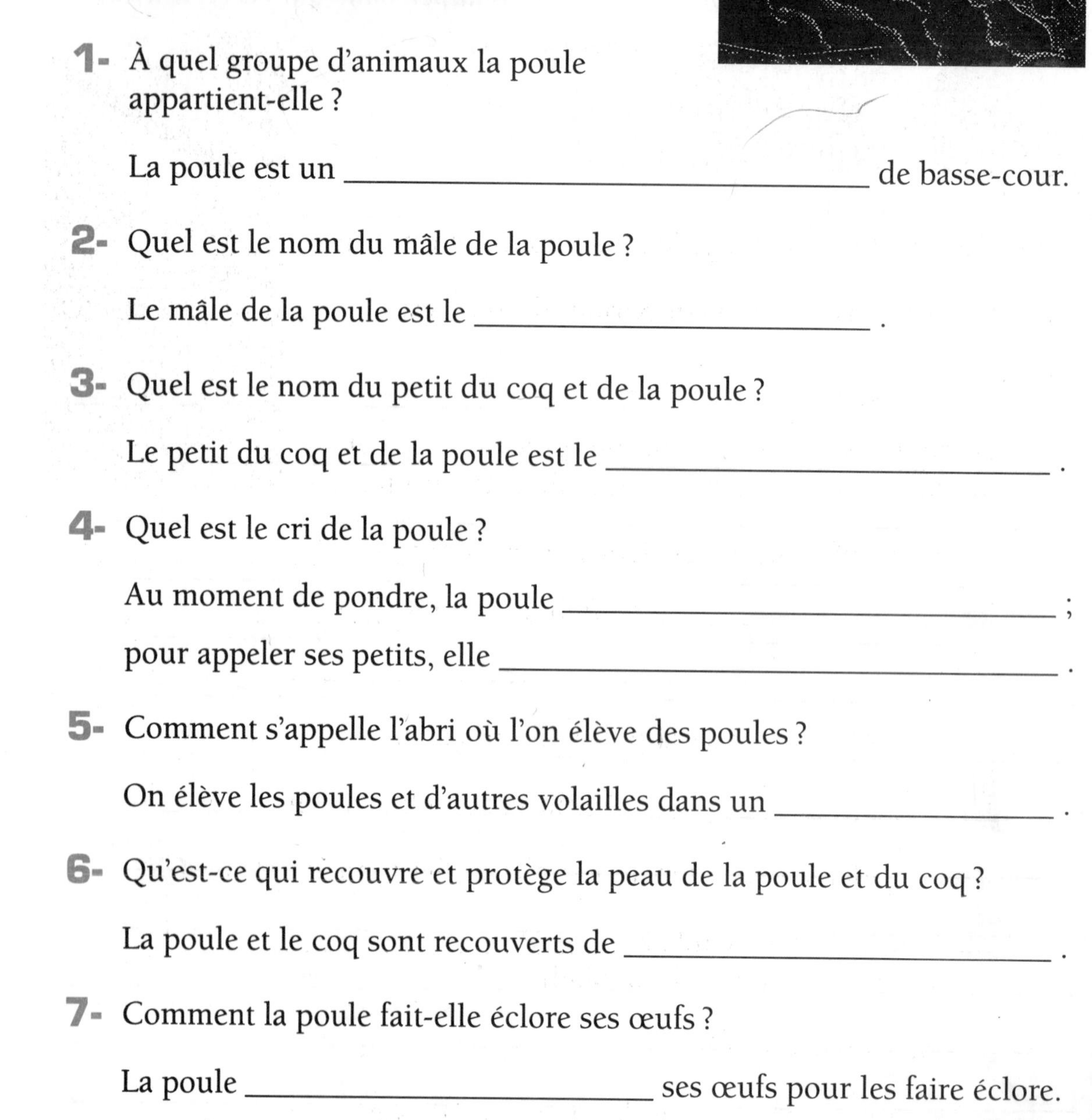

À la découverte… *des poules.*

1- À quel groupe d'animaux la poule appartient-elle ?

La poule est un ______________________________ de basse-cour.

2- Quel est le nom du mâle de la poule ?

Le mâle de la poule est le ______________________ .

3- Quel est le nom du petit du coq et de la poule ?

Le petit du coq et de la poule est le ______________________ .

4- Quel est le cri de la poule ?

Au moment de pondre, la poule ______________________ ;

pour appeler ses petits, elle ______________________________ .

5- Comment s'appelle l'abri où l'on élève des poules ?

On élève les poules et d'autres volailles dans un ________________ .

6- Qu'est-ce qui recouvre et protège la peau de la poule et du coq ?

La poule et le coq sont recouverts de ______________________ .

7- Comment la poule fait-elle éclore ses œufs ?

La poule ______________________ ses œufs pour les faire éclore.

8- Comment s'appelle la période où la poule se tient sur les œufs pour les faire éclore ?

La période où la poule se tient sur les œufs pour les faire éclore s'appelle la ___________________________ .

9- Combien de temps la couvaison dure-t-elle ?

La poule couve ses œufs durant ______________________________ jours.

10- Comment appelle-t-on l'ensemble des œufs couvés par la poule ?

L'ensemble des œufs couvés par la poule est la ____________________ .

Revenons à ta lecture : « L'heure des poules ».

1- Quel est le personnage le plus important du récit ?

Le personnage le plus important du récit est

_____________________________ .

2- Nomme les personnes qui font partie du récit et qui ont un lien de parenté avec Poil de carotte.

Les personnes présentes dans le récit sont : ________________________ ,

la ______________________ de Poil de carotte ; ________________________ ,

son _________________________ ; __________________________ , sa sœur.

3- Qui a oublié de fermer la porte du poulailler?

La _______________________ Honorine a oublié de fermer le poulailler.

4- À qui madame Lepic demande-t-elle d'aller fermer cette porte ?

Madame Lepic demande à ____ ,
d'aller fermer la porte du poulailler.

5- Pourquoi refuse-t-il ?

Félix refuse d'aller fermer les poules en disant : ____________________

____ .

6- Pourquoi Ernestine refusera-t-elle à son tour?

Ernestine refusera à son tour parce qu'elle a _______________________ .

7- À qui madame Lepic ordonne-t-elle d'aller fermer les poules?

Madame Lepic ordonne finalement à ______________________ d'aller fermer les poules.

8- Pourquoi madame Lepic a-t-elle ainsi surnommé son fils?

Elle donne ce petit nom d'amour à son dernier-né parce qu'il a

____ .

9- Qu'est-ce qui décide Poil de carotte à obéir?

Ernestine et Félix lui font des ______________________ et madame Lepic lui promet une ______________________ pour l'encourager!

10- Complète les phrases suivantes avec les expressions qui expriment la peur de Poil de carotte.

Poil de carotte ______________________________________

______________ . Elles sont si épaisses ______________________

______________ . Parfois une rafale l'enveloppe, ______________

______________________________ . Des renards, des

loups même, ______________________________________

____ ?

Le mieux est ______________________________ vers

les poules, la tête en avant, afin de trouer l'ombre. Il ferme la porte et

______________________ , les jambes, les bras comme ailés.

11- Comment Poil de carotte se sent-il quand il rentre dans la maison ?

Quand il rentre, haletant, fier de lui, dans la chaleur et la lumière, il

lui semble ______________________________________

____

____ .

12- Remplace la dernière phrase de ta lecture par les mots que Poil de carotte attendait après son exploit.

____

____

À ton tour…
de raconter une de tes peurs.

Tout le monde, un jour ou l'autre, a eu peur de quelque chose: un animal, un bruit, un objet, une situation (comme son premier jour d'école), un apprentissage (comme apprendre à nager), la nuit, l'avion, la maladie, un film d'horreur, l'aiguille du dentiste…

Tu n'as jamais eu peur de rien, toi ? Tant mieux !

Mais si tu y penses un peu, tu as déjà eu peur au moins une fois ! Qu'est-ce qui t'a fait peur ? Qu'as-tu fait pour te délivrer de cette peur ? Qui t'a expliqué comment t'en débarrasser ? Raconte ce qui s'est passé ce jour-là, même si l'incident a eu lieu il y a longtemps…

Mon titre : ______________________________

____

____

____

____

____

____

____

____

____

____

____

Les coccinelles

À la découverte…
de la coccinelle.

1- À quel groupe d'animaux la coccinelle appartient-elle ?

La coccinelle est un ______________________________ .

2- Quelle est la forme du corps de la coccinelle ?

Le corps de la coccinelle est ________________ et ________________ .

3- De quels insectes la coccinelle se nourrit-elle ?

La coccinelle se nourrit de ____

____

____ .

4- De quelle couleur est la coccinelle ?

Il y a des coccinelles ____ ,

d'autres sont ____ ou

____ .

5- Quelles sont les différences entre les espèces de coccinelles?

Les espèces de coccinelles sont différentes par la ________________ ,

par la ______________________ et par le ________________________

de ____________________ sur leurs élytres.

6- Combien d'œufs la coccinelle pond-elle ?

La coccinelle femelle pond de _____________ à _____________ œufs.

LES COCCINELLES

7- Comment la coccinelle se défend-elle quand elle est attaquée ?

Quand elle est attaquée, la coccinelle projette ____________________ ____________________ sur son adversaire.

8- Que fait la coccinelle en hiver ?

En hiver, la coccinelle ____________________ sous un morceau d'écorce.

9- Quel est le surnom de la coccinelle ?

La coccinelle est surnommée ______________________________ , ____________________ . On l'appelle aussi l'oiseau de la Vierge, le petit veau du Seigneur, la poulette de la Madone.

Revenons à ta lecture : « Les coccinelles ».

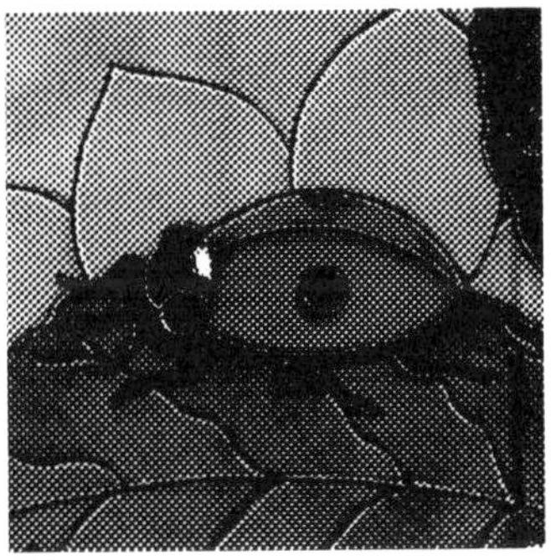

1- Transcris la description du corps de la coccinelle.

Les coccinelles ont un corps ______________

____

____ .

2- Combien y a-t-il d'espèces de coccinelles ?

Il y en a environ ______________________________ espèces dans les différentes régions de la terre.

3- Donne une indication de la popularité des coccinelles.

La popularité des coccinelles est démontrée par les ______________

____

____ .

4- Pourquoi les coccinelles sont-elles appréciées ?

Les coccinelles sont appréciées parce qu'elles ______________________

______________________________________ avec une grande voracité.

5- Pourquoi certaines espèces de coccinelles sont-elles élevées ?

Certaines espèces de coccinelles sont élevées et sont lâchées pour

____

____ .

6- Transcris la description de la coccinelle à sept points.

La coccinelle à sept points ______________________________________

____

____

____ .

7- Comment les nymphes de coccinelles sont-elles suspendues ?

Les nymphes de coccinelles sont __________________________________

____ .

8- À quel moment de leur vie les coccinelles sont-elles vulnérables ?

Les coccinelles sont vulnérables, c'est-à-dire en danger d'être blessées,

____ .

9- Comment la nature fournit-elle à la coccinelle la protection nécessaire à sa survie ?

La nature fournit à la coccinelle la protection nécessaire à sa survie en

____

____ .

10- Combien d'espèces de coccinelles Linda Lemelin a-t-elle illustrées ?

Linda Lemelin a illustré ____________________ espèces de coccinelles.

À ton tour…
de décrire une coccinelle.

Trouve dans une encyclopédie des insectes les pages où l'auteur parle des coccinelles.

Choisis une espèce de coccinelles.

Copie sa description complète.

Au bas de ta copie, indique le titre de l'ouvrage que tu as consulté, le nom de l'auteur de cet ouvrage et le numéro de la page que tu as transcrite.

Mon titre : ______________________________

La chienne trop petite

À la découverte…
du plus petit chien du monde.

1- Quel est le plus petit chien au monde ?

Le plus petit chien au monde est le __________

______________________________ .

2- De quel pays est-il originaire ?

Certaines personnes disent que le chihuahua

est originaire du __________________________ ,

d'autres croient qu'il vient de la ______________

______________________________ .

3- Quel est le poids moyen du chihuahua ?

Le chihuahua pèse plus ou moins ____________________________ kilos.

4- Trouve une photo représentant un chihuahua et complète le texte suivant.

Le chihuahua a la tête __________________ comme une pomme, le nez

un peu ______________________ , de ___________________ oreilles très

_______________________ , le poil _________________________ , serré et

___________________________ , les yeux ____________________________ .

5- Quelle est la couleur du poil du chihuahua ?

Les chihuahuas sont de différentes couleurs ; ils sont ______________ ,

ou ___________________ , ___________________ , ___________________ ,

____________________ ou ____________________ quand ils n'arborent

pas deux ou trois couleurs à la fois.

6- Quelles sont les principales qualités de ce petit chien ?

Le chihuahua est ____________________ , ______________________ ,

__________________ , __________________ et _________________ .

7- Pourquoi ce petit chien est-il apprécié de ses maîtres ?

Le chihuahua est apprécié parce qu'il ___________________ les petits rongeurs, qu'il est un bon chien de ___________________ et qu'il est _________________________ jusqu'à la mort.

8- Le chihuahua a-t-il peur des autres animaux ?

Malgré sa très petite taille, le chihuahua se montre ________________ vis-à-vis de chiens pourtant plus grands que lui; il n'est vraiment pas _________________________ .

9- De quelles couleurs sont les yeux du chihuahua ?

Les yeux du chihuahua sont ___________________________________

____ .

Revenons à ta lecture : « La chienne trop petite ».

1- La chienne trop petite de cette histoire pourrait-elle être un chihuahua ? (Choisis ta réponse.)

_______________ , je ne crois pas.

_______________ , la petite chienne me fait penser au chihuahua (Réponds au numéro 2.)

2- Transcris les phrases qui te font croire que la chienne trop petite est un chihuahua.

____

____

____

____

____

____

____ .

3- Quels sont les chiens nommés par la petite chienne ?

La petite chienne nomme plusieurs chiens : une ______________ ,

une ______________ , une ______________

une ______________ et trois ______________ .

4- De quel méfait la petite chienne s'accuse-t-elle ?

La petite chienne ______________________________ .

5- Quels animaux a-t-elle rencontrés dans la rue pendant sa promenade ?

Dans la rue, la petite chienne a vu ______________________

et poursuivi un ______________________________ .

6- Quels sont les incidents désagréables évoqués par la petite chienne ?

En plus d'avoir fait pipi sur le tapis, exprès, la chienne trop petite a

______________ le concierge, ______________ la rue,

______________ un chat énorme, ______________

un vieux journal.

7- La petite chienne avait-elle une excuse pour avoir fait pipi sur le tapis ?

Non. Elle n'avait pas ____

____

____

____

____ !

8- À quels animaux la chienne trop petite compare-t-elle sa taille ?

La petite chienne constate qu'elle est plus petite que ______________

____________________ , plus petite que le ____________________ ,

le _________________________ et la _________________________ .

9- Comment la chienne trop petite décrit-elle son caractère ? (Transcris les bouts de phrases qui montrent sa force de caractère.)

____

____

____

____

____

____ .

10- Pourquoi n'a-t-elle pas peur d'être punie ?

Elle n'a pas peur d'être punie parce qu'elle est ____________________ pour qu'on la batte.

À ton tour… d'écrire un monologue.

Qu'est-ce qu'un monologue ? C'est un discours qu'on se fait à soi-même, comme celui de la chienne trop petite, qui s'amuse à se raconter sa journée, à se rappeler des exploits dont elle est très fière, même si ce sont des mauvais coups. Son monologue est une sorte d'examen de conscience, une réflexion.

Monologuer, c'est parler tout seul.

Choisis un incident de la semaine qui, selon toi, vaut la peine d'y penser: ce peut être une nouvelle entendue à la télévision, un accident dans la rue, une discussion avec tes parents ou tes camarades.

Fais connaître les pensées que cet incident t'inspire dans un monologue qui contient tes propres réflexions.

Mon titre : ______________________________

____

____

____

____

____

____

____

____

____

____

____

____

____

____

____

L'heure des vaches

À la découverte... *des vaches.*

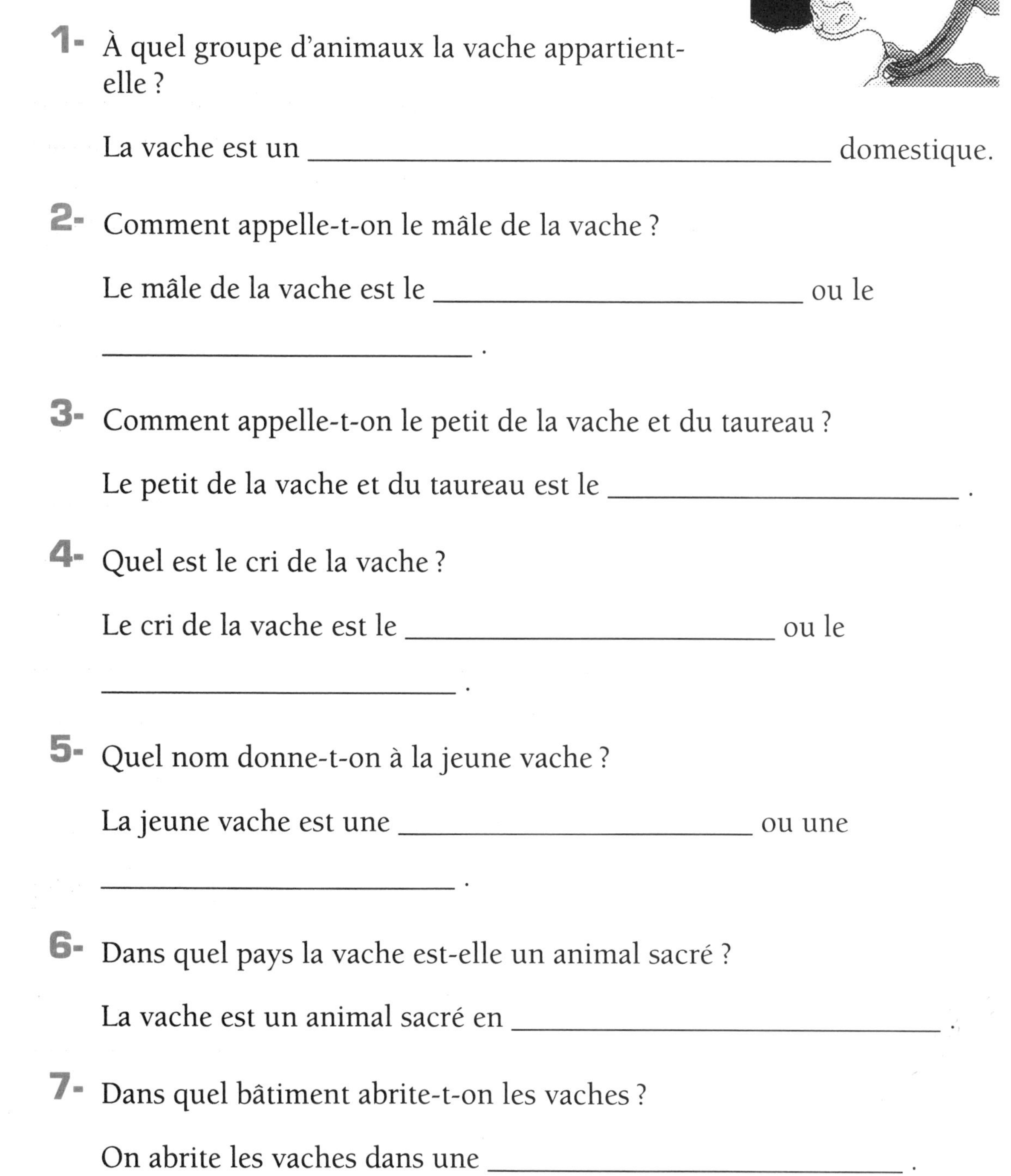

1- À quel groupe d'animaux la vache appartient-elle ?

La vache est un ______________________________ domestique.

2- Comment appelle-t-on le mâle de la vache ?

Le mâle de la vache est le ______________________ ou le

______________________ .

3- Comment appelle-t-on le petit de la vache et du taureau ?

Le petit de la vache et du taureau est le ______________________ .

4- Quel est le cri de la vache ?

Le cri de la vache est le ______________________ ou le

______________________ .

5- Quel nom donne-t-on à la jeune vache ?

La jeune vache est une ______________________ ou une

______________________ .

6- Dans quel pays la vache est-elle un animal sacré ?

La vache est un animal sacré en ______________________ .

7- Dans quel bâtiment abrite-t-on les vaches ?

On abrite les vaches dans une ______________________ .

8- Comment les vaches se nourrissent-elles ?

Les vaches ______________________ des champs durant l'été ; elles sont nourries d' ______________ , de ______________ et d' ______________ durant l'hiver.

9- Quels produits la vache fournit-elle aux humains ?

La vache donne du ______________ et de la ______________ ; sa peau fournit du ______________ .

10- Nomme des produits préparés avec le lait de la vache.

Avec le lait de la vache, on prépare du ______________ , du ______________ , du ______________ , de la ______________ , sans oublier plusieurs desserts : des ______________ , des ______________ , des ______________ .

Revenons à ta lecture : « L'heure des vaches ».

1- Qu'est-ce que l'heure des vaches ?

C'est l'heure ______________________________
____
____ .

2- Que se passe-t-il à l'heure des vaches ?

À l'heure des vaches, il y a ____

____

____

____

____

____

____ .

3- Qui sont les personnages de ce récit ?

Les personnages du récit sont ____________________ et sa

________________________________ .

4- Quelle tâche Julien et sa petite sœur doivent-ils accomplir chaque soir, à l'heure des vaches ?

Julien et sa petite sœur sont ______________________________________

____

____ .

5- De quoi les deux enfants ont-ils peur ?

Tous les deux ont très peur ______________________________________

____ .

6- Comment Julien protège-t-il sa petite sœur ?

Pour protéger sa petite sœur, Julien ____________________________

____ .

7- Où les enfants attendent-ils le passage des troupeaux ?

Ils attendent que les troupeaux passent __________________________

____ .

8- Quelles vaches craignent-ils particulièrement ?

Ils craignent particulièrement les vaches ______________________

____

____ .

9- Pourquoi ont-ils peur de ces vaches ?

Ils ont peur de ces vaches parce qu'elles peuvent, ______________

____

____ .

10- Que se passe-t-il quand certaines vaches chargent comme de vrais taureaux ?

Les vaches sauteuses chargent comme de vrais taureaux __________

____

____ .

11- Illustre le moyen de locomotion que tu utilises pour te rendre à l'école.

À ton tour...
de nous montrer le chemin de ton école.

Anne Hébert t'a fait découvrir le chemin que Julien et sa petite sœur doivent parcourir chaque jour à l'heure des vaches.

Tous les jours, depuis que tu fréquentes l'école, tu dois parcourir, à pied ou en autobus, peut-être à bicyclette, un chemin qui te conduit à l'école.

Raconte les moments de ton parcours. Est-il agréable ou difficile ? La circulation est-elle énervante dans les rues que tu dois traverser?

Qu'est-ce que tu peux observer sur ton chemin ? Aimes-tu ce parcours ? Le fais-tu avec ton frère ou ta sœur, avec des camarades ?

Décris le trajet depuis ta maison jusqu'à l'école.

Mon titre : ______________________________

Une visite du loup

À la découverte... *du loup.*

UNE VISITE DU LOUP

1- À quel groupe d'animaux le loup appartient-il ?

Le loup est un ______________________ carnivore.

2- Comment appelle-t-on la femelle du loup ?

La femelle du loup est la ______________________ .

3- Comment appelle-t-on le petit du loup et de la louve ?

Le petit du loup et de la louve est le ______________________ .

4- Comment s'appelle le lieu où s'abritent les loups ?

Les loups s'abritent dans une ______________________ .

5- Quel est le cri du loup ?

Le cri du loup est le ______________________ .

6- Nomme quatre animaux qui font partie de la famille des canidés, comme le loup.

La famille des canidés comprend, en plus du loup,

le ______________________ , le ______________________ ,

le ______________________ , le ______________________ .

7- Comment appelle-t-on un groupe de loups qui vivent et qui chassent ensemble ?

Les loups qui vivent et qui chassent ensemble forment une

______________________ .

8- La légende dit que les deux frères qui ont fondé la ville de Rome ont été élevés par une louve. Comment s'appelaient ces deux frères ?

Les deux frères fondateurs de la ville de Rome sont ______________

et ______________________ .

9- Sur quels continents trouve-t-on des loups aujourd'hui?

Il y a encore des loups aujourd'hui en ______________________ ,

en ________________ et en __________________________ .

10- Quelle est la durée de vie du loup ?

Le loup peut vivre environ ____________________ ans.

Revenons à ta lecture : « Une visite du loup ».

1- Comment s'appelle le petit garçon du récit ?

Le petit garçon du récit s'appelle ______________________ .

2- Que faisait-il, assis près de la fenêtre ?

Assis près de sa fenêtre, tout en ayant l'air de réciter la table de multiplication, Pierre __________________________________

____

____ .

3- Quel est le nom du chat ?

Le chat se nomme ______________________ .

4- À qui Karabi pensait-il quand il s'est dit : « Le temps que je grimpe à l'arbre et ce maudit noiraud aura dix fois le temps de s'envoler » ?

Le chat songeait alors au ______________________ qui sifflait tout en haut de l'arbre.

5- Quelle phrase indique qu'il perdait son temps à attendre?

Le chat s'est dit que ____

____ .

6- Qu'est-ce que Pierre sentit tout à coup?

Pierre sentit ____

____

____ .

7- Pourquoi les animaux devinrent-ils silencieux tout à coup?

Les animaux devinrent silencieux parce que _________________________

____ .

8- Que fait Karabi à la vue du loup?

À la vue du loup, Karabi ne perd pas la tête : _______________________

____

____ .

9- Quel animal a perdu la tête à la vue du loup?

Le pauvre ___________________________ a perdu la tête à la vue du loup.

10- Le pauvre canard aurait-il pu se sauver du loup?

Le pauvre canard aurait dû ____________________________________

____ ,

car les loups n'aiment pas l'eau.

À ton tour…
de conter l'histoire du loup.

Tu as lu, dans le conte de Georges Duhamel, qu'un loup est venu faire un tour à la ferme où vivait Pierre…

Suppose que les choses se soient passées autrement. Peut-être que les autres animaux de la ferme auraient pu effrayer le loup ? Imagine que le chat, au lieu d'avoir peur, s'efforce de protéger le canard… ou que le cheval ou le bœuf du fermier s'en mêle !

Mais oui, tout aurait pu tourner bien différemment si Pierre s'en était occupé au lieu de rester dans sa chambre !

À toi de raconter autrement la visite du loup, en te servant des humains et des animaux pour changer la fin du conte.

Laisse aller ton imagination au secours du pauvre petit canard !

Mon titre : ________________________________

____

____

____

____

____

____

____

____

____

____

____

____

____

____

Fa illustre le conte du petit chien blanc

À la découverte... *de l'illustration.*

1- Qu'est-ce qu'une illustration ?

Une illustration est un ______________________ ,

une ______________________ , une ______________________

ou une ______________________ qui accompagne un texte

et sert d'ornement à un livre.

2- Qui a illustré *les Joies de la lecture* ?

Les textes des *Joies de la lecture* ont été illustrés par ______________________

______________________ .

3- Comment appelle-t-on la personne qui pratique le genre artistique de l'illustration ?

La personne qui pratique ce genre artistique est un

______________________ ou une ______________________ .

4- Quelle technique Linda Lemelin a-t-elle utilisée pour colorier ses dessins ?

Linda Lemelin a utilisé des ______________________ pour

colorier ses ______________________ .

5- Quelles sortes de livres illustre-t-on le plus souvent?

On illustre le plus souvent des ______________________

et des ______________________ .

6- À la bibliothèque, trouve le nom des illustrateurs de dix ouvrages différents et note les renseignements suivants: le nom de la personne qui a écrit le livre, le titre de l'ouvrage et le nom de la personne qui l'a illustré.

1. ______________________________
____

2. ______________________________
____

3. ______________________________
____

4. ______________________________
____

5. ______________________________
____

6. ______________________________
____

7. ______________________________
____

8. ______________________________
____

9. ______________________________
____

10. ______________________________
____

Revenons à ta lecture : « Fa illustre le conte du petit chien blanc ».

1- Quel conte Tense lit-elle à Fa ?

Tense lit à Fa le ______________________________ .

2- Que fait Fa pendant que Tense lit cette histoire ?

Pendant que Tense lit cette histoire, Fa se met à ______________________

____

____ .

3- Qui, dans le conte, a acheté le chien blanc ?

Le professeur ______________________ a acheté le chien blanc.

4- Qu'est-il arrivé au chien blanc ?

La queue du chien blanc a changé de couleur : elle est devenue

____ .

5- À quelle condition le professeur Tournedisque gardera-t-il le chien blanc ?

Le professeur gardera le chien à la condition que, dans une heure,

____ .

6- Comment le petit chien réussit-il à changer de couleur ?

Le petit chien trouve ______________________________

______________ . Il verse le contenu dans un bac et ______________

____ .

7- Pourquoi, tout à coup, Tense interrompt-elle son histoire ?

Tense interrompt son histoire pour ______________________________

____ .

8- À quel concours Fa veut-elle participer ?

Fa veut participer au concours de ______________________________
que son papa organise à son journal.

9- Avec quelle illustration Fa va-t-elle participer à ce concours ?

Fa veut tenter sa chance avec son illustration du ________________ .

À ton tour… *d'illustrer une histoire.*

Choisis dans ton livre de lecture une histoire, un conte ou un poème que tu aimerais illustrer à ta façon.

Écris le titre du texte que tu as choisi et utilise, comme Linda Lemelin ou comme Fa, des stylos-feutres pour colorier ton dessin.

Mon titre : ________________________________

Première neige

À la découverte... *de la neige.*

1- Qu'est-ce que la neige ?

La neige est de ______________________________ qui tombe en flocons blancs légers.

2- Quel autre nom peut-on donner aux flocons de neige ?

Les flocons de neige ont la forme de ______________________ .

3- Comment appelle-t-on un amas de neige entassée par le vent ?

Un amas de neige entassée par le vent est une _________________ .

4- Comment nomme-t-on les congères au Québec?

Au Québec, on appelle les congères des ______________________

de _____________________ .

5- Qu'est-ce que le blizzard?

Le blizzard est un ___________________ du nord accompagné de tourmentes de neige.

6- Comment appelle-t-on la neige chassée en rafales par le vent ?

La neige chassée en rafales par le vent est appelée

______________________ .

7- Quelle doit être la température au sol pour que la neige ne fonde pas en le touchant ?

Pour que la neige ne fonde pas en le touchant, le sol doit être à moins de ______________ degré Celsius.

8- Quels sports d'hiver la neige permet-elle de pratiquer ?

La neige permet de pratiquer ______________________________

____

____ .

9- Comment produit-on de la neige artificielle dans les centres de ski ?

Pour produire de la neige artificielle dans les centres de ski, on utilise des ____ .

10- Nomme deux pays où il neige beaucoup en hiver.

En hiver, il neige beaucoup au ______________________________

et en ______________________ .

Revenons à ta lecture : « Première neige ».

1- Où se trouvent les personnages quand il commence à neiger ?

Quand il commence à neiger, les personnages se trouvent

____ .

2- Nomme les personnes qui observent cette première neige.

Les personnes qui observent cette première neige sont

__________________ , __________________ et

__________________ .

3- Pourquoi les hommes disent-ils qu'il *neigeotte* ?

Les hommes disent qu'il neigeotte parce que __________________

____ voltigent et se

posent sur la ______________________ .

4- Que signifiait *neiger* pour les hommes de ce récit ?

Neiger signifiait pour eux ____

____

____

____

____

____ .

5- Comment Phonsine exprima-t-elle sa joie de voir la neige ?

Phonsine tendit ____

____ .

6- Quand la première neige eut-elle vraiment lieu ?

La première neige eut vraiment lieu ______________________________ ,
dans la nuit.

7- Comment Venant s'aperçut-il qu'il avait neigé durant la nuit ?

Venant comprit qu'il avait neigé parce qu'à son réveil, un ____________

______________________________ éclairait la pièce.

8- Deux phrases indiquent l'effet de la neige sur la campagne.
Transcris-les ci-dessous.

____

____

____

____

____ .

9- Quel fut l'effet du soleil sur la neige ?

Le soleil ____
dans les champs.

10- La première neige souligne la fin d'une saison et le commencement d'une autre. Complète la phrase suivante.

La première neige souligne la fin de ______________________________

et le commencement de ______________________________ .

À ton tour…
de décrire une première neige.

La première fois que tu as vu tomber la neige, c'était peut-être hier, peut-être il y a longtemps… mais, chose certaine, tu as réagi !

Avais-tu hâte ? As-tu éprouvé de la joie, comme Phonsine ?

Qu'est-ce que tu as pensé ? Qu'est-ce que tu as fait ? Allais-tu à l'école alors ? Quel âge avais-tu ?

Raconte comment tu as fêté cette première neige: tes jeux, tes craintes, ta surprise, ton plaisir. Lorsque l'hiver apporte, chaque année, le souvenir de cette première neige et la promesse qu'elle reviendra, à quoi penses-tu ?

Mon titre : ______________________________

____

____

____

____

____

____

____

____

____

____

____

____

Nina pense à son avenir

À la découverte...
des métiers et des professions.

1- Qu'est-ce qu'un métier ?

Un métier est une ______________________

manuelle qui permet de gagner sa vie; le mot

métier peut aussi servir à désigner une

____ .

2- Fais une liste des gens de métier que tu connais.

Parmi les gens de métier, il y a des ______________________ ,

______________________ , des ______________________ ,

______________________ , des ______________________ ,

______________________ , des ______________________ .

3- Que désigne-t-on par le mot profession?

Le mot profession désigne surtout un ______________________
à caractère intellectuel ou artistique.

4- Fais une liste des gens de profession les plus actifs dans la société.

Parmi les gens de profession les plus actifs, il y a ______________

____

____

____

____

____ .

NINA PENSE À SON AVENIR

5- Quelle différence y a-t-il entre un métier et une profession? (Consulte les numéros 1 et 3.)

Le métier est une occupation ______________________________ ou ______________________________ ; une profession est une occupation ______________________________ ou ______________________________ .

6- Quel est le métier ou la profession que tu préfères?

J'aimerais devenir ______________________________

parce que ______________________________

______________________________ .

7- Quelles qualités doit avoir la personne qui veut exercer le métier ou la profession que tu préfères?

Pour devenir ______________________________ , une personne doit posséder les qualités suivantes : ______________________________

____

____

______________________________ .

8- Comment appelle-t-on les personnes qui possèdent des magasins ?

Les propriétaires de magasins sont des ______________________________

____________________ des ______________________________ .

9- Nomme des établissements où l'on peut exercer un métier.

On peut exercer différents métiers dans ______________________________

____

____

____

____

______________________________ .

10- Nomme des établissements où l'on peut exercer une profession.

On peut exercer différentes professions dans ____________________

____

____

____.

Revenons à ta lecture : « Nina pense à son avenir ».

1- À quel âge Nina voulut-elle choisir une profession ?

Nina avait __________ ans quand elle voulut choisir une profession.

2- Comment Nina a-t-elle commencé à chercher sa future profession ?

Nina a commencé à noter ____________________

____.

3- Place en ordre alphabétique les six mots suivants : postier, parmi, papier, pompier, prendre, possible.

____

____.

4- Pourquoi Nina pensait-elle qu'elle aurait dû exclure les métiers de pompier ou de postier ?

Nina croyait que les métiers de ____________________ ou de

____________________ auraient dû être exclus parce que ces métiers n'étaient pas exercés par ____________________.

5- Combien de métiers avait-elle inscrits sur sa feuille de papier ?

Elle avait inscrit ____________________ de métiers.

6- Qu'a-t-elle décidé une fois sa liste complétée ?

Une fois sa liste complétée, Nina a décidé ______________________

____ .

7- Quel fut son premier choix ?

Elle choisit d'abord des ______________ de ______________

pour voir si elle ne pourrait pas être ______________________ .

8- Comment a-t-elle ensuite continué ses expériences ?

Elle s'est ensuite intéressée aux ______________________________

______________________ , mais cela finit aussi par l'ennuyer.

9- Quelles occupations a-t-elle essayées ensuite ?

Nina s'est ensuite occupée à ______________________ des chansons

populaires en écoutant les jeunes paysannes qui chantaient une

______________________ .

10- Pourquoi Nina changeait-elle constamment de métier ?

Nina changeait de métier parce qu'ils finissaient tous par

______________________ .

11- Comment se consola-t-elle de n'avoir pu choisir sa profession ?

Nina se consola en recopiant la ______________________________

et en se donnant l'impression de ______________________________

____ .

À ton tour…
de composer une prière.

Tu n'as pas lu la Prière de Lermontov, mais tu as découvert dans le petit dictionnaire de ton livre de lecture que Lermontov était un poète russe. Cette prière est un des poèmes qu'il a écrits.

Imagine que tu aimerais, comme la petite Nina, obtenir de l'aide pour résoudre un problème qui t'ennuie.

Choisis la personne à qui tu adresseras ta prière, demande-lui des conseils et des idées qui t'aideront à trouver une solution à ton problème.

Quel problème ? À toi de le choisir, surtout si tu souhaites, comme Nina, le régler au plus vite !

N'oublie pas que ta prière peut être un poème. Avant de la commencer, complète le titre suivant:

Prière à ______________________________

____

____

____

____

____

____

____

____

____

____

____

____

____

____

Rajiv et Irina

À la découverte...
de nouveaux Québécois.

1- Comment appelle-t-on les personnes qui ont quitté leur pays pour aller vivre dans un autre ?

Les personnes qui ont quitté leur pays et qui vivent maintenant dans un autre sont des _________________________ .

2- Plusieurs de tes camarades de classe et de tes amis sont des immigrants. Comment peux-tu les reconnaître ?

Je peux reconnaître mes amis immigrants par leur _______________ ,

ou parce qu'ils parlent une autre __________________ que la mienne.

Plusieurs pratiquent une autre ___________________ que la mienne.

3- Peut-on reconnaître un immigrant par la couleur de sa peau ? (Choisis ta réponse.)

_______________ , puisque tous les Québécois ont la peau blanche.

_______________ , car beaucoup d'immigrants ont la peau blanche et beaucoup de Québécois ont la peau _________________________ ,

___________________________ ou ___________________________ .

4- Comment peux-tu vérifier si tes camarades sont des immigrants ?

Le seul point que je peux vérifier pour reconnaître un immigrant est la ___________________ de son arrivée dans notre pays.

5- Combien de temps un immigrant doit-il passer au Québec avant d'obtenir la nationalité canadienne ?

Pour obtenir la nationalité canadienne, un immigrant doit passer ____________ ans au Québec ou dans une autre province du Canada.

6- De quels pays les jeunes immigrants qui fréquentent ton école sont-ils originaires ? (Complète l'une ou l'autre réponse.)

Il n'y a pas d'élèves immigrants dans ma ______________________ .

Parmi mes camarades de classe, certains sont originaires ____________

____ .

7- À part leur langue que tu peux toujours apprendre, quels sont les éléments de la culture des immigrants que tu peux partager ?

Je peux partager ______________________________

____

____ .

Revenons à ta lecture : « Rajiv et Irina ».

1- Comment s'appellent les deux camarades de Fanny ?

Les camarades de Fanny sont

____

et ____________________________________ .

2- De quel pays Rajiv est-il originaire ?

Rajiv est originaire de ______________________ .

3- De quel pays Irina est-elle originaire ?

Irina est originaire de la ______________________ .

4- Quelle coutume différente des nôtres Fanny a-t-elle remarquée chez les parents de Rajiv Mukerjee ?

Chez les Mukerjee, ______________________________

____ .

5- Quelle coutume Fanny a-t-elle observée chez Irina Kowaleska ?

Chez les Kowaleska, ____

____

____ .

6- Que fait Fanny dans la cave de la maison de ses parents ?

Dans la cave, Fanny ____ .

7- Avec quoi Fanny nourrit-elle les souris ?

Fanny nourrit les souris avec ____

____ .

8- Pourquoi les Mukerjee ont-ils emmené Rajiv à l'hôpital ?

Les Murkerjee ont emmené Rajiv à l'hôpital parce qu'il _______________

____ ;

ils craignaient que leur fils ait la ____________________________________ .

9- Pourquoi la maman souris a-t-elle mordu le doigt de Rajiv ?

La maman souris a mordu le doigt de Rajiv ___________________________

____ .

10- Quelle différence y a-t-il entre un Indien et un Amérindien ?

Un Indien est originaire de l' ____________________________ ; un

Amérindien est originaire de l' ____________________________ du Nord.

11- Quelle langue Rajiv étudiera-t-il plus tard ?

Plus tard, Rajiv étudiera le ______________________ , une des nombreuses langues de son pays, l'Inde.

À ton tour…
de découvrir les coutumes d'un autre pays.

Choisis un pays étranger que tu aimerais visiter un jour. À l'aide des ouvrages de la bibliothèque, encyclopédies, récits de voyages, etc., réunis des renseignements sur les coutumes, les fêtes, l'habillement, les travaux dans ce pays. Transcris dans ton cahier les détails les plus intéressants, ceux qui excitent ton intérêt ou ta curiosité. Ce sera un premier pas dans la préparation d'un futur voyage… Pourquoi pas ?

Mon titre : ______________________________

Le vilain et le diablotin

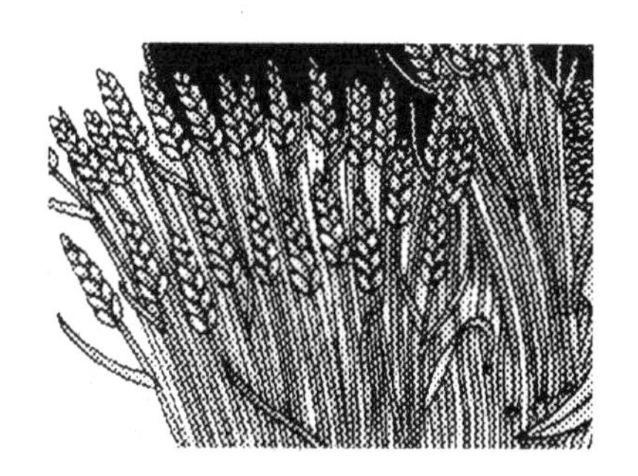

À la découverte... *du blé.*

1- À quel groupe de plantes le blé appartient-il ?

Le blé appartient au groupe des ________________________________ .

2- Qu'est-ce qu'une graminée ?

Une graminée est une plante dont le fruit est un ___________________ que l'on peut manger.

3- Quel est le principal usage que l'on fait des grains de blé ?

Avec les grains de blé, on fait de la ______________________________ .

4- Nomme un aliment habituellement servi au déjeuner et qui est préparé avec des graminées comme le blé.

Avec des plantes comme le blé, l'avoine, l'orge, le maïs, on prépare les

__________________________ que l'on mange au déjeuner.

5- Au Québec, comment appelle-t-on le maïs ?

Au Québec, le maïs est appelé _________________________________ .

6- Pour faire de la farine, on utilise des grains de blé. Mais à quoi servent les tiges de blé ?

Les tiges de blé fournissent de la _________________________ utilisée pour la litière des animaux.

7- Nomme deux pays grands producteurs de blé.

Parmi les pays grands producteurs de blé, il y a le

___________________________ et les __________________________ .

8- Quelles sont les provinces du Canada qui produisent du blé pour l'exportation ?

Les provinces qui exportent le blé canadien sont le

_______________________ et la _____________________________ .

9- D'où vient le son avec lequel on prépare des muffins et le pain brun ?

Le son est l'enveloppe du ________________ de ________________ qui reste après qu'on l'a moulu.

Revenons à ta lecture : « Le vilain et le diablotin ».

Du temps de Rabelais, on appelait diables et diablotins certains lutins malfaisants.

1- Où les diables passaient-ils leurs jours de congé ?

Les diables possédaient ___________________________________

où ils passaient leurs ____________________________________ .

2- Qui osa y semer du blé ?

Poussé par la misère, _____________________________________ osa y semer du blé.

3- Pourquoi ce cultivateur a-t-il semé son blé dans une terre qui ne lui appartenait pas ?

Le cultivateur a semé son ____________ dans ____________ parce

qu'il ne ______________________________ une motte de terre à lui.

4- Trouve dans le texte une expression qui complète la phrase suivante :

Le diable était très jeune, il ___________________________________

____ .

5- À quelle condition le diable laissera-t-il le cultivateur semer son blé ?

Le diable laissera le cultivateur semer son blé à la condition de

____ .

6- Lequel des deux lots de la récolte le diablotin se réserva-t-il ?

Le diablotin choisit ce qui ______________________________ .

7- Quand le blé fut-il récolté ?

Le blé fut récolté ______________________________ .

8- Avec qui le cultivateur fit-il la moisson ?

Le cultivateur fit la moisson avec ______________________ .

9- Qu'est-ce que les diablotins firent derrière les moissonneurs ?

Dès qu'un épi était fauché, les diablotins ___________________

ce qui restait et firent ______________________________ .

10- Nomme trois plantes que le cultivateur aurait pu semer pour déjouer le diablotin.

Le cultivateur aurait pu semer des ______________________ ,

des ____________________ , de la ______________________ .

11- Comment le diablotin voulut-il se venger d'avoir été trompé ?

Le diablotin décida que sa part de la prochaine année serait ce qui

aurait poussé sur le ______________________________ .

12- Pourquoi le diablotin fut-il trompé encore une fois?

Le diablotin fut trompé parce que le cultivateur avait semé des

____________________ et que les raves poussent dessous la

____________________ .

13- Nomme trois plantes que le cultivateur aurait pu semer pour déjouer à nouveau le diablotin.

Pour déjouer à nouveau le diablotin, le cultivateur aurait pu semer

des ______________________ , des ______________________ ,

des ______________________ .

À ton tour... *de raconter une histoire de lutins.*

Choisis le travail proposé au numéro 1 ou celui proposé au numéro 2.

1- *Raconte à ta manière un conte que tu as lu ou que tu as vu à la télévision, « Blanche-Neige », par exemple. N'oublie pas les lutins !*

2- *Invente une histoire en laissant ton imagination se promener au temps où il y avait sur terre de bons lutins et de malfaisants diablotins. Comme François Rabelais, donne à ton récit un commencement, un milieu et une fin.*

Mon titre : ______________________

Un bon chien de garde

À la découverte... du *Petit Poucet.*

Beaucoup de contes et de légendes rapportent les exploits fabuleux de minuscules personnages, hauts d'à peine quelques centimètres, qui sortent victorieux des risques et des dangers les plus éprouvants. Allons ensemble à la découverte du Petit Poucet et de Nils Holgersson, peut-être les plus braves de tous !

1- Qui a créé le personnage du Petit Poucet ?

Le Petit Poucet est un personnage du conte de ____________________

____________________ intitulé « Le Petit Poucet ».

2- Dans quel ouvrage peut-on lire l'histoire du Petit Poucet ?

L'histoire du Petit Poucet fait partie d'un ouvrage intitulé *Contes du temps passé* ou *Contes* ____ .

3- Quel personnage le Petit Poucet dut-il combattre ?

Le Petit Poucet dut combattre un ______________________ brutal et gourmand.

4- Quel vêtement extraordinaire permit au Petit Poucet d'échapper à son ennemi ?

Le Petit Poucet chaussa les ____________________________________

___________________ qu'il avait volées à l'ogre.

5- Qui a créé le personnage de Nils Holgersson ?

Nils Holgersson est un personnage créé par la romancière suédoise

____________________________________ .

6- Quel est le titre de l'ouvrage dont Nils est le personnage principal ?

Le livre dont Nils est le personnage principal a pour titre :

____ .

7- Durant son merveilleux voyage, le nain Nils dut affronter beaucoup de dangers et des animaux plus forts que lui. Quels animaux s'attaquèrent à lui ? (Tu peux en trouver quelques-uns dans ton manuel de lecture.)

Durant son voyage, Nils dut affronter un ____________________ et des ____________________ , ainsi que de nombreux autres animaux.

8- Quel surnom Selma Lagerlöf a-t-elle donné à Nils Holgersson ?

Comme le héros de Charles Perrault, Nils est aussi appelé

____________________ .

9- Quel autre personnage fabuleux, aussi petit que Nils et Poucet, fait partie de la légende ?

Un autre personnage aussi petit que Nils et Poucet fut appelé

____________________ .

Revenons à ta lecture : « Un bon chien de garde ».

1- Qu'est-ce que Nils aperçut devant les cabanes où il voulait entrer ?

Arrivé sur le perron, Nils aperçut __________

____

qui lui fit changer d'idée.

2- Que demanda-t-il à l'animal ?

Nils demanda au chien de garde de l' ____________________

____ .

3- Comment le chien répondit-il à la demande de Nils ?

Le chien, devenu méchant à force d'être attaché, ordonna à Nils

_______________________________________ et le menaça.

4- Quelle phrase décrit la surprise du chien en apercevant Nils ?

Le chien, en l'apercevant, _______________________________

____ .

5- Le chien Smirre accepta-t-il d'aider Nils ?

En aboyant, Smirre ____________________ aussi loin que le lui

permettait sa ____________________ , pour effrayer le

____________________ et le faire fuir.

6- Quel plan proposa Nils pour se débarrasser du renard à tout jamais ?

Nils proposa de le faire ____________________ .

7- Que se passa-t-il entre Nils et le chien quand ils furent dans la niche ?

On put les entendre chuchoter ensemble : ils préparaient le plan qui

leur permettrait de tendre un ____________________ au

____________________ .

8- Le renard revint-il à la niche ?

Quelques minutes plus tard, ____________________________

____

____ .

9- Quelle menace Smirre fit-il au renard?

Le chien avança la tête et grogna : ______________________

____________________ .

10- Pourquoi le renard ne bougea-t-il pas ?

Le renard ne bougea pas parce qu'il savait __________________
la chaîne du chien pouvait lui permettre d'aller.

11- Quel tour Nils et Smirre jouèrent-ils au renard ?

Nils avait détaché Smirre : le chien ______________________________

____

____ .

12- Comment le renard fut-il fait prisonnier ?

Smirre traîna le renard vers sa niche et Nils mit la ____________________

au ______________________________________ et la boucla bien.

À ton tour…
de raconter une aventure de Nils.

Suppose que Nils est poursuivi par un écureuil ou un lièvre ; que se passe-t-il ? A-t-il besoin d'aide pour les affronter ? N'oublie pas qu'il n'est pas plus gros que ton pouce. Fais-lui rencontrer les animaux que tu veux et imagine quels contacts il aura avec eux. Plaisants ou détestables ? Tout dépend de toi.

Une aventure de Nils le nain

Les adieux de Mowgli

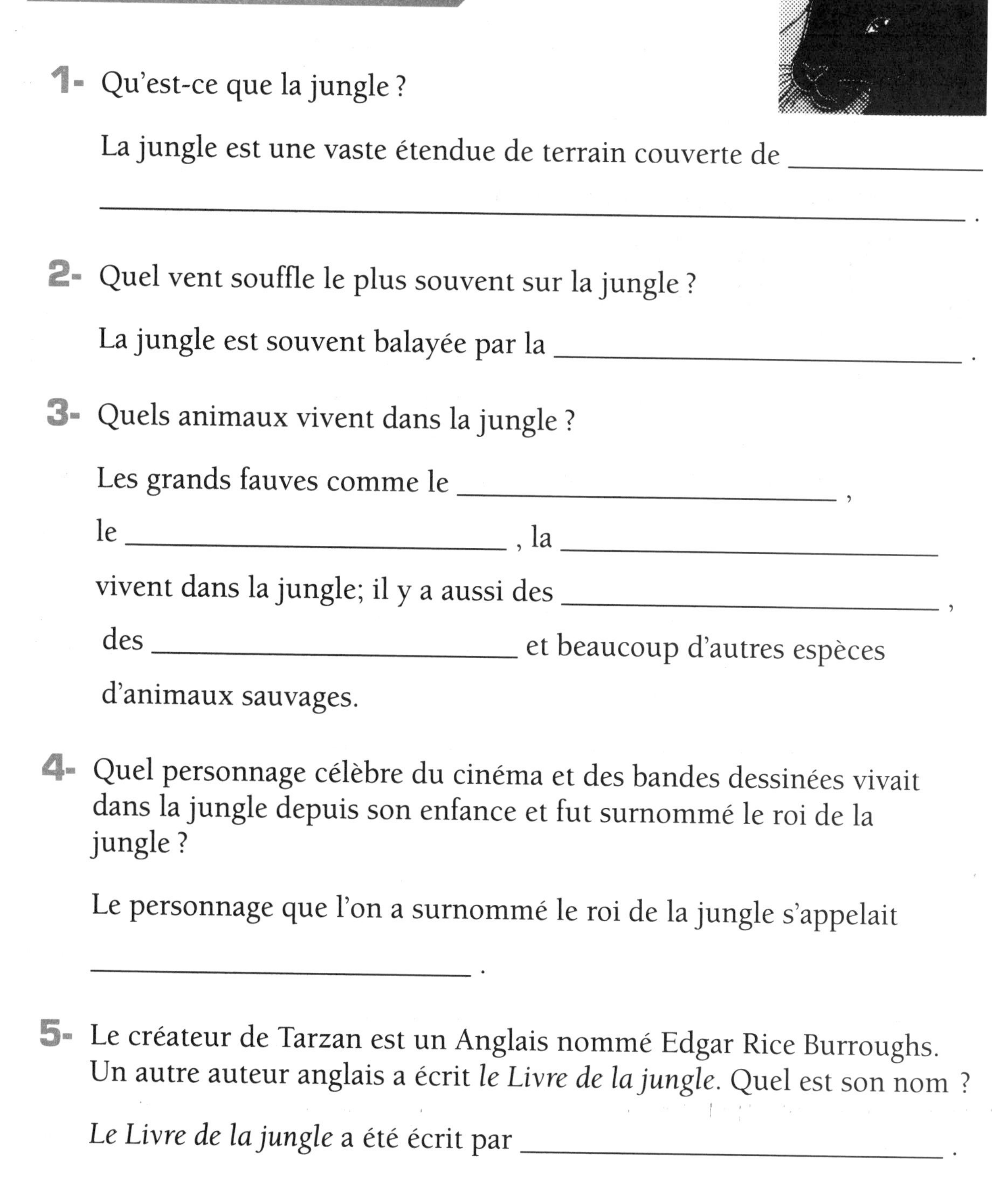

À la découverte… *de la jungle.*

1- Qu'est-ce que la jungle ?

La jungle est une vaste étendue de terrain couverte de ______________

____ .

2- Quel vent souffle le plus souvent sur la jungle ?

La jungle est souvent balayée par la ______________________ .

3- Quels animaux vivent dans la jungle ?

Les grands fauves comme le ____________________ ,

le ____________________ , la ____________________

vivent dans la jungle; il y a aussi des ____________________ ,

des ____________________ et beaucoup d'autres espèces

d'animaux sauvages.

4- Quel personnage célèbre du cinéma et des bandes dessinées vivait dans la jungle depuis son enfance et fut surnommé le roi de la jungle ?

Le personnage que l'on a surnommé le roi de la jungle s'appelait

____________________ .

5- Le créateur de Tarzan est un Anglais nommé Edgar Rice Burroughs. Un autre auteur anglais a écrit *le Livre de la jungle*. Quel est son nom ?

Le Livre de la jungle a été écrit par ______________________ .

6- Pourquoi la jungle est-elle inhabitable pour les humains ?

La jungle est inhabitable pour les humains à cause de la ____________

____________________ qui y règne et des ________________________

stagnantes infestées de crocodiles.

7- Nomme certaines espèces d'oiseaux familiers de la jungle.

Parmi les oiseaux familiers de la jungle, il y a le

____________________, le ____________________,

le ____________________, le ____________________.

8- Quels sont les plus redoutables insectes de la jungle ?

Les insectes les plus redoutables de la jungle sont les

____________________, les ____________________,

les ____________________, les ____________________.

9- Y a-t-il des reptiles dans la jungle ?

Beaucoup de ______________________________ et de

______________________________ vivent dans la jungle.

10- Dessine un des oiseaux que tu as nommés au numéro 7.

Revenons à ta lecture : « Les adieux de Mowgli ».

1- Quels sont les animaux qui figurent dans le récit ? (Ajoute le nom que leur a donné Rudyard Kipling.)

Le récit comprend plusieurs personnages qui sont des animaux:

la ______________________ nommée ______________________ ;

le ______________________ nommé ______________________ ;

le ______________________ et la ______________________ nommés

____ ;

le ______________________ nommé ______________________ .

2- Quand Bagheera viendra-t-elle chercher Mowgli ?

Bagheera viendra chercher Mowgli ______________________

____ .

3- Pourquoi Bagheera viendra-t-elle chercher Mowgli ?

Bagheera viendra chercher Mowgli parce que ______________________

____ .

4- Que fit Mowgli avant de partir ?

Avant de partir, Mowgli ______________________________ .

5- Qui vint lui dire adieu ?

Le vieux chef ______________________ vint lui dire adieu.

6- Comment mère Louve encouragea-t-elle Mowgli à partir ?

Mère Louve dit à Mowgli que son départ était ______________________

____ .

7- Comment le chagrin de père Loup se manifesta-t-il ?

Père Loup avait tant de chagrin ______________________________

____ .

8- Où se trouvaient les loups qui observaient le départ de Mowgli ?

Les loups étaient restés immobiles ____________________________

____ .

9- Qui mit un terme aux adieux de Mowgli ?

Ce fut ______________________ qui mit un terme à la scène.

10- Pourquoi Bagheera ordonne-t-elle à Mowgli de se dépêcher?

Bagheera ordonne à Mowgli de se dépêcher parce qu'il ____________

____ .

11- À ton avis, Mowgli aimera-t-il vivre avec les humains après avoir été élevé parmi les loups? Explique pourquoi.

À mon avis, Mowgli ____

____

____

____

____

____

À ton tour… *de faire des adieux.*

Il t'est déjà arrivé de partir ? Mais oui ! Tu as quitté des camarades pour aller en vacances ou en voyage.

Tu as dû changer d'école quand tu as déménagé, ou te séparer de tes camarades quand des copains et des copines sont partis.

Tu as peut-être été à la gare ou à l'aéroport saluer un parent ou des amis ?

Raconte une scène d'adieux à laquelle tu as assisté.

Mon titre : ______________________________

UN GARÇON MANQUÉ

Un garçon manqué

À la découverte… *de la gymnastique.*

1- Quel est le rôle de la gymnastique ?

La gymnastique ______________________ et ______________________ le corps par des ______________________ appropriés.

2- Quand pratique-t-on des exercices de gymnastique à l'école ?

À l'école, on pratique la gymnastique pendant les ______________________ ____ .

3- Dans quel local pratique-t-on la gymnastique ?

On pratique la gymnastique dans un ______________________ .

4- Comment appelle-t-on les personnes qui pratiquent la gymnastique ?

Les personnes qui pratiquent la gymnastique sont des ______________________ .

5- Nomme différents appareils que l'on trouve dans un gymnase.

Les appareils de gymnastique que l'on trouve dans un gymnase sont

____

____

____

____

____

____ .

6- Nomme quelques spécialistes de la gymnastique.

Les spécialistes de la gymnastique sont des ______________________ ,

des ______________________ , des ______________________ ,

des ______________________ , selon le type d'exercices exécutés

par ces spécialistes.

7- Quelle institution emploie beaucoup de gymnastes ?

L'institution qui emploie le plus grand nombre et la plus grande

variété de gymnastes est le ______________________ .

8- Où peut-on avoir l'occasion de voir les meilleurs gymnastes du monde ?

On peut voir les meilleurs gymnastes du monde concourir dans les

______________________ et participer aux ______________________

______________________ .

9- Une jeune gymnaste de 14 ans est devenue célèbre aux Jeux olympiques de Montréal, en 1976, en obtenant la note dix sur dix, ce qui ne s'était encore jamais produit. Quel est le nom de cette gymnaste ?

La gymnaste qui a décroché la note 10 et obtenu la médaille d'or de

gymnastique aux Jeux olympiques de Montréal est ______________________

______________________ .

10- Quel pays Nadia Comaneci représentait-elle ?

Nadia représentait son pays, la ______________________ .

Revenons à ta lecture : « Un garçon manqué ».

Un garçon manqué, c'est une fille, mais une fille aussi forte, aussi habile qu'un garçon dans les jeux que préfèrent les garçons. Dans le roman de Michèle Mailhot, ce garçon manqué s'appelle Cathy.

1- Qui sont les personnages de ce récit ?

Les personnages du récit sont ______________________ et sa sœur ____________________ .

2- Qui a écrit le récit, le frère ou la sœur ?

C'est ____________________ qui a écrit le récit.

3- Pourquoi lui a-t-on dit qu'elle était un garçon manqué ?

On lui a dit qu'elle était un ______________________ parce qu'elle et son ____________________ faisaient ____________________ ____________________ et qu'elle réussissait souvent ______________ ____________________ .

4- Lequel des deux enfants était le plus brave ?

D'après la narratrice, c'est elle, ______________________ , qui se montre la plus brave.

5- Quel exemple la petite fille donne-t-elle de sa bravoure ?

La petite fille donne un exemple de sa bravoure en racontant son ____ ____ .

6- Quelle sorte de parachute Jean avait-il trouvé ?

Comme parachute, Jean avait trouvé ______________________________

____ .

7- À quoi devait servir ce parapluie, selon l'explication que Jean avait donnée à sa petite sœur ?

Le parapluie devait permettre à la petite fille de ____________________

____ .

8- Pourquoi Cathy avait-elle accepté de sauter ?

Cathy avait accepté de ______________________ parce qu'elle avait

__________________________ en son __________________________ .

9- Qu'arriva-t-il à Cathy ?

Le parapluie l'emporta _______________________________________ ;

elle fut _______________________ et eut un ____________________

________________________ .

10- Quelle promesse Jean avait-il faite à Cathy après l'avoir félicitée de son exploit ?

Jean avait promis à ____________________ de ____________________

____ .

11- D'après toi, qui s'est conduit en poltron ?

Un poltron est un peureux. Je crois donc que c'est parce qu' ________

____

____ .

12- Pourquoi Jean félicite-t-il Cathy malgré son échec ?

Jean félicite Cathy de sa bravoure parce qu' ______________________

____ .

À ton tour…
de parler de gymnastique.

La gymnastique peut être dangereuse, comme le prouve Michèle Mailhot dans son récit ! Tu as certainement ton idée sur cette activité: aimes-tu la gymnastique ? Quels exercices as-tu appris ? As-tu vu, au cirque ou à la télévision, un spectacle du genre ? C'est le moment d'écrire ce que tu penses de l'éducation physique, de tes aptitudes, de tes projets dans le domaine… si tu en as.

Trouve d'abord un titre qui dira si tu aimes ou si tu détestes la gymnastique.

Mon titre : ______________________________

Chez mes grands-parents

À la découverte… *des récompenses.*

1- Pourquoi trouve-t-on agréable de recevoir une récompense ?

On trouve agréable de recevoir une récompense parce qu'elle souligne

un ____________________ , un ____________________ ,

un ____ .

2- Quel type de récompense offre-t-on à un champion ou une championne olympique ?

Un champion ou une championne olympique reçoit une

____________________ d' ____________________ ,

d' ____________________ ou de ____________________ .

3- Quelles sortes de récompenses les étudiants peuvent-ils obtenir ?

Les étudiants peuvent obtenir des ____________________ d'études

et des ____________________ qui soulignent leurs succès.

4- Quelle sorte de récompense les bons employés peuvent-ils recevoir ?

Les bons employés peuvent être récompensés par une

____________________ ou par une ____________________ .

5- Comment remercie-t-on les serveuses et les serveurs de restaurant quand on est satisfait de leurs services ?

On récompense les serveuses et les serveurs de restaurant en leur

donnant un ____________________ .

6- Comment les soldats qui ont montré un courage extraordinaire à la guerre sont-ils récompensés ?

Les soldats qui ont montré un courage extraordinaire à la guerre sont décorés de la ________________________ de ____________________ .

7- Qu'est-ce qu'un lauréat ou une lauréate ?

Les lauréats sont des personnes qui ont mérité un ________________ dans un ____________________ .

8- Qu'est-ce qu'un palmarès ?

Un palmarès est une ____________________________ des ____________________________________ dont le travail mérite une ____________________________________ .

9- Quelle est la plus importante récompense littéraire au monde ?

La plus importante récompense littéraire au monde est le __________ ____________________________ de ____________________ .

10- As-tu déjà reçu des récompenses ? Lesquelles ? (Choisis ta réponse.)

____________ , je n'en ai jamais reçu.

____________ , j'ai gagné ____________________________________ ____ .

Revenons à ta lecture : « Chez mes grands-parents ».

1- Quels cadeaux le grand-papa de Claire déposait-il sur sa table de nuit pendant son sommeil ?

Le grand-papa de Claire déposait des ____________

______________________________________ ,

une ______________________________________ ,

des ______________________________________ sur sa table de nuit

pendant son sommeil.

2- Pourquoi ne devait-elle pas y toucher avant le petit déjeuner ?

Elle ne devait pas y toucher pour ______________________________

à sa ________________________ .

3- Selon toi, pourquoi la grand-mère demandait-elle à Claire de ne pas manger ces sucreries avant le repas ?

La grand-maman de Claire savait que ________________________

des ______________________ avant le ______________________

enlève l'appétit.

4- Quand la grand-maman permit-elle à Claire d'ouvrir la boîte aux trésors ?

Grand-mère permit à Claire d'ouvrir la boîte aux trésors quand elle

fut ____

____ .

5- Qu'y avait-il dans cette boîte ?

Cette boîte contenait des __________________________ .

6- Où grand-mère avait-elle acheté les plus beaux ?

Grand-mère avait acheté les plus beaux ____________________ dans des ________________________ de ________________________ .

7- La narratrice écrit, dans le deuxième paragraphe, à propos des petites boutiques de Paris : « Comme elles me font penser à toi, chère ! » À qui le mot *chère* s'adresse-t-il ?

Le mot *chère* s'adresse à la ____________________________ de ____________________________ .

8- De quelles matières ces boutons étaient-ils faits ?

Ces boutons étaient faits de ____________________________ , de ________________________ , de ________________________ et d' ____________________ .

9- Pourquoi un bouton de vraie nacre vaut-il mieux qu'un bouton plaqué or ?

Un bouton de vraie ____________________ vaut mieux qu'un bouton plaqué or parce qu'il est ____________________ .

10- Quelles pièces de monnaie remplissaient la tirelire de Claire ?

La tirelire de Claire était remplie de pièces de ____________________ .

11- Qui déposait ces pièces de monnaie dans la tirelire de Claire ?

C'était le ____________________________ qui déposait les pièces de monnaie dans la tirelire de Claire.

12- Quels jouets Claire gardait-elle dans le placard, chez ses grands-parents ?

Claire gardait dans le placard ses ____________________ , son ________________________ et ses ____________________ .

À ton tour…
de nommer les récompenses que tu as reçues.

Tu as peut-être répondu non à la question numéro 10 de la première section de cet exercice. D'accord, tu n'as pas gagné de coupe, de concours de dessin ni de marathon!

C'est pourquoi tu vas penser très fort à tes notes scolaires, aux cadeaux que l'on t'a donnés à la fin d'une bonne année, aux compliments que l'on t'a faits en classe ou à la maison…

Ensuite, tu feras la liste la plus complète possible de toutes les récompenses que tu as reçues. N'oublie surtout pas les baisers de maman et de papa et dis à quelle occasion tu as reçu ces témoignages.

Mon titre : ______________________________

____

____

____

____

____

____

____

____

____

____

____

____

____

____

____

Le chat et la souris

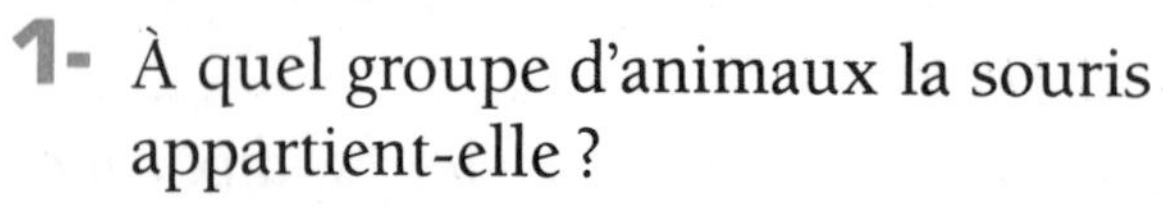

1- À quel groupe d'animaux la souris appartient-elle ?

La souris appartient au groupe des ____________________ rongeurs.

2- Quel est le plus proche parent de la souris ?

Le plus proche parent de la souris est le ____________________ .

3- Comment appelle-t-on le mâle de la souris ?

Le mâle et la femelle ____________________ portent le ____________________ nom.

4- Comment appelle-t-on le petit du père et de la mère souris ?

Le petit du père et de la mère souris est le ____________________ .

5- Quel est le cri de la souris ?

Le cri de la souris est le ____________________ .

6- Comment appelle-t-on un piège à souris ?

Un piège à souris est une ____________________ .

7- Quel est le plus grand ennemi de la souris ?

Le plus grand ennemi de la souris est le ____________________ .

8- Quels autres animaux chassent les souris ?

Plusieurs autres animaux chassent les souris ; les ____________________ diurnes et les ____________________ nocturnes, comme les ____________________ et les ____________________ .

9- Peut-on apprivoiser les souris ?

Les souris ______________________ sont faciles à

______________________ .

10- Quel est le nom de la souris vedette d'un dessin animé créé par Walt Disney ?

La souris vedette créée par Walt Disney s'appelle ______________

______________ .

Revenons à ta lecture : « Le chat et la souris ».

1- Comment la souris grise réussit-elle à filer sous la porte ?

La souris grise ______________________ en toute hâte à travers le couloir de l'entrée et parvint à filer sous la porte.

2- Que fit la souris ensuite ?

Après avoir filé sous la porte, la souris ______________________

l'escalier, le ______________________ ; sur le trottoir, elle

______________________ .

3- Où la souris grise rejoignit-elle le chat ?

La souris grise rejoignit le chat au ______________________ .

4- Quelle aide la souris grise veut-elle demander au chat ?

La souris grise veut demander au chat de l'aider à sauver

______________________ du désespoir.

5- Que va faire Colin si la souris et le chat ne le sauvent pas ?

Si la souris et le ____________________ ne le sauvent pas, Colin va mourir de désespoir, ____________________________________ .

6- Où se trouve Colin ?

La souris dit au chat que Colin est ____________________________ .

7- Que fait Colin au bord de l'eau ?

Colin va ___________________________ et s'arrête au milieu. Il voit ______________________________ dans l'eau. Après, il revient sur le bord et regarde ___________________________ .

8- Pourquoi la souris craint-elle que Colin continue à ne pas manger ?

La souris grise a peur qu'il devienne ___________________________ et qu'il fasse ____________________________ en allant sur la grande ____________________ . Alors, il pourrait _____________________ dans l'eau.

9- Que doit faire la souris grise pour que le chat accepte de l'aider à sauver Colin ?

Le chat dit à la souris de mettre __________________ dans sa gueule.

10- Qu'arrivera-t-il à la souris lorsque quelqu'un marchera sur la queue du chat ?

Lorsque quelqu'un marchera sur la queue du chat, le chat _________________________ la petite souris grise.

À ton tour…
de raconter l'histoire du chat et de la souris.

Après avoir lu le récit et le dialogue écrits à la manière de Boris Vian, écris à ton tour - mais à ta façon - cette histoire drôle et triste à la fois.

Tu as deviné sans peine comment le chat va régler le problème de la souris, mais que va devenir Colin? À toi de décider!

Invente la fin de l'histoire !

Le chat et la souris (raconté par..)
(Écris ton nom sur la ligne pointillée.)

Le Gulf Stream

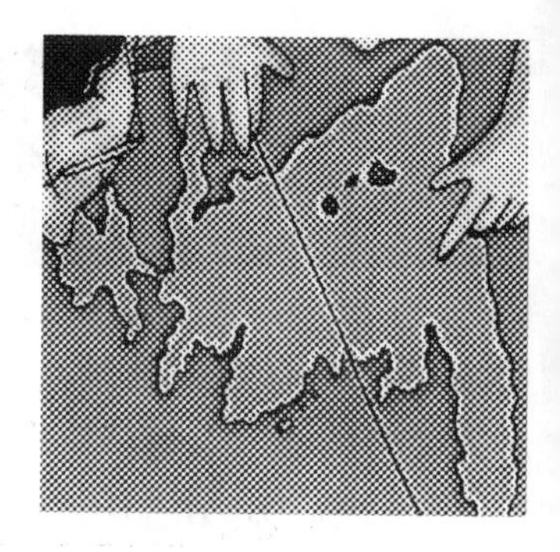

À la découverte...
des courants marins.

1- Qu'est-ce qu'un courant marin ?

Un courant marin est un cours d' ______________________ dans la ______________________ , une sorte de ______________________ dans les ______________________ de l' ______________________ .

2- Combien y a-t-il de sortes de courants marins ?

Il y a ______________________ sortes de courants marins : les courants ______________________ et les courants ______________________ .

3- Quel est le courant marin chaud le plus connu ?

Le courant marin chaud le plus connu est le ______________________ ______________________ .

4- Quel est le courant marin froid le plus près des côtes du Canada ?

Le courant marin froid le plus près des côtes canadiennes est le courant du ______________________ .

5- Pourquoi le Gulf Stream perd-il peu à peu de sa chaleur ?

Les eaux du Gulf Stream perdent de leur chaleur parce qu'elles rencontrent les ______________________ du courant froid du ______________________ .

6- Quel effet les courants chauds ont-ils sur les pays dont ils longent les côtes ?

Les courants chauds ______________________ le climat des pays qu'ils côtoient.

LE GULF STREAM

7- D'où vient le Gulf Stream ?

Le Gulf Stream vient du golfe du ______________________ .

8- Où finit le Gulf Stream ?

Les eaux du Gulf Stream se dispersent en éventail dans le nord de

l'océan ____ .

9- Quels pays nordiques ont un climat plus doux que le nôtre grâce au passage du Gulf Stream ?

Le climat des côtes de l' ________________________ , de la

______________________ et de l' ______________________ est adouci

par les eaux du ____________________________ .

10- Quelle est la température des eaux du Gulf Stream quand elles contournent la Floride ?

Les eaux du Gulf Stream atteignent jusqu'à ______________________ degrés Celsius quand elles contournent la Floride.

Revenons à ta lecture : « Le Gulf Stream ».

1- Qui sont les personnages de ce récit ?

Les personnages de ce récit sont __________

__________________________________ et sa

______________________ ; il est aussi fait

mention de son ______________________ et de sa sœur,

______________________ .

2- Pourquoi Marie-Lou se plaint-elle d'avoir à étudier ?

Marie-Lou se plaint d'avoir à ______________________ pendant que les

enfants d'Odérin ____

____ .

3- Pourquoi Marie-Lou et sa sœur doivent-elles étudier pendant les vacances ?

Marie-Lou et sa sœur doivent étudier pendant les vacances pour ne pas ______________________________ .

4- Qui sert de professeur aux deux fillettes ?

Pour remplacer les professeurs, les ____________________ d'Anne et de ____________________ s'occupent de les faire étudier.

5- Quel manuel Marie-Lou doit-elle consulter ?

Marie-Lou doit consulter un manuel de ____________________ .

6- Que doit-elle trouver dans ce manuel ?

Marie-Lou doit trouver un ____________________ dont le nom finit par le son ____________________ .

7- Sur quelle carte Marie-Lou et sa mère se penchent-elles ?

Toutes deux se penchent sur la ____________________ .

8- En observant la carte, quelles baies Marie-Lou reconnaît-elle ?

Marie-Lou reconnaît la baie de ____________________ et la baie de ____________________ .

9- Où habite la famille de Marie-Lou ?

La famille de Marie-Lou habite un village de Terre-Neuve, ____________________ , en bordure de la baie de ____________________ .

10- Marie-Lou a-t-elle trouvé le golfe dont le nom finit par *îme* ?

Le golfe dont le nom finit par le son *îme* est le ____________________ ____________________ .

11- Que trouve-t-on sur ce que l'on appelle les grands bancs de Terre-Neuve ?

Sur les grands bancs de Terre-Neuve, on trouve de nombreux

___________________________ .

À ton tour...
de situer un fleuve sur la carte.

Reconnaissons que le Gulf Stream est assez difficile à trouver sur une carte géographique, quand on ne sait pas qu'il circule en plein océan.

Le fleuve que nous allons chercher et situer est pas mal plus visible : c'est le beau, l'immense, l'incomparable fleuve Saint-Laurent.

Avec toutes les indications que t'offre la carte géographique du Québec, dis-nous comment tu l'as reconnu: par quelles îles, quelles villes, quels villages construits sur ses rives. Où commence-t-il ? Où se jette-t-il ? À toi de décrire ce fleuve unique au monde !

Le fleuve Saint-Laurent

Le faon

À la découverte… *du chevreuil.*

1- À quel groupe d'animaux le chevreuil appartient-il ?

Le chevreuil est un ____________________ de la famille des cervidés.

2- Comment appelle-t-on la femelle du chevreuil ?

La femelle du chevreuil est la ____________________ .

3- Comment appelle-t-on le petit du chevreuil et de la biche ?

Le petit du chevreuil et de la biche est le ____________________ .

4- Quel est le cri du chevreuil ?

Le cri du chevreuil est le ____________________ .

5- Comment appelle-t-on les cornes du chevreuil ?

Les cornes du chevreuil sont des ____________________ .

6- Combien d'années faut-il au jeune chevreuil pour développer complètement ses bois ?

Il faut ____________________ ans au jeune chevreuil pour que ses bois se développent complètement.

7- De quoi les chevreuils se nourrissent-ils ?

Les chevreuils sont des herbivores, ils se nourrissent de

____________________ , de ____________________ ,

de ____________________ et de fruits sauvages.

8- Quel dommage peut causer le chevreuil adulte ?

Le chevreuil adulte endommage ____________________

en frottant ses ____________________ contre leur écorce.

9- Quel est le plus grand ennemi du chevreuil ?

Le plus grand ennemi du chevreuil est ______________________ .

10- Par quel animal les faons sont-ils parfois attaqués ?

Les faons sont attaqués par les ______________________ .

Revenons à ta lecture : « Le faon ».

Note : La femme du récit n'ayant pas de nom, nous dirons « la femme » ou « elle » comme l'auteur l'a fait en parlant d'elle.

1- Quel animal la femme cherche-t-elle à apprivoiser ?

La femme cherche à apprivoiser un ____________________ .

2- Quand l'avait-elle aperçu ?

Elle l'avait aperçu ____

____ .

3- Comment le faon a-t-il survécu à l'absence de sa mère ?

Le faon a survécu ____

____

____ .

4- Quel fut le seul secours que le faon accepta même durant l'hiver ?

Le faon ne chercha d'autres secours que ________________________ offerte par la femme.

5- Quand la femme fut-elle rassurée sur le sort du petit animal ?

La femme fut rassurée sur le sort du faon quand ____________________
____________________ et qu'elle vit bien que la bête était
____________________ .

6- Quelles bêtes la femme avait-elle déjà attirées chez elle ?

Elle avait déjà attiré une ____________________ , une
____________________ , un ____________________ , un
____________________ , une ____________________ et
une ____________________ .

7- Comment ces animaux exprimaient-ils leur confiance en elle ?

La renarde lui avait ____________________ ;
Le raton-laveur ____________________ ;
La belette ____________________ ;
Le corbeau ____________________ ;
La poule d'eau ____________________ ;
La mouffette ____________________ .

8- Quelle qualité la femme montrait-elle avec tous ces animaux ?

La femme montrait une ____________________ avec tous ces animaux.

9- Comment fut interrompue la relation entre la femme et le faon ?

Un midi d'octobre, la femme entendit ____________________
d'une ____________________ . Le chevreuil ne revint jamais la visiter.

10- Selon toi, pourquoi le jeune chevreuil n'est-il jamais revenu vers la femme qui l'avait nourri ?

Le chevreuil ne revint pas parce qu'il ____________________ .

À ton tour…
de nommer des animaux.

Yves Thériault a écrit un grand nombre de contes où les animaux et les humains apprennent à se connaître, à s'aimer ou à se craindre les uns les autres.

À ton tour de faire un choix parmi les animaux.

Dresse une liste de dix animaux que tu aimerais apprivoiser et de dix animaux dont tu as peur.

Attention à l'orthographe!

Dix animaux que j'aime.	**Dix animaux dont j'ai peur.**

Dessine un animal que tu aimes

Dessine un animal dont tu as peur

La migration

À la découverte…
des migrations.

1- Qu'est-ce que la migration ?

La migration est le ______________________ de certains animaux d'une région à l'autre selon les saisons.

2- Quelles sortes d'animaux migrent régulièrement chaque année ?

Beaucoup d' ______________________ , de ______________________

et d' ______________________ migrent régulièrement chaque année.

3- Nomme quelques oiseaux du Québec qui migrent, chaque année, au printemps et à l'automne.

Parmi les oiseaux migrateurs du Québec, on remarque :

____

____

____

____ .

4- Quel est le poisson qui, après avoir passé plusieurs années dans l'océan, revient dans la rivière où il est né pour y pondre ses œufs ?

Le poisson migrateur qui revient pondre ses œufs dans sa rivière d'origine est le ______________________ .

5- Quel petit oiseau des régions polaires vit sur les rives du Saint-Laurent en hiver ?

Le petit oiseau des régions polaires qui vit en hiver sur les rives du Saint-Laurent est le ______________________________ .

LA MIGRATION

6- Pourquoi les animaux migrent-ils ?

Les animaux migrent à cause du ______________________ , de la

______________________ et pour la sécurité de leurs

______________________ .

7- Quel oiseau appelle-t-on la *messagère du printemps* ?

La *messagère du printemps* est ______________________ .

8- Où peut-on admirer des milliers d'oies sauvages sur la route des migrations, quand elles s'arrêtent, au printemps et à l'automne, sur les rives du Saint-Laurent ?

Au printemps et à l'automne, les oies sauvages font une halte sur les

rives du Saint-Laurent ; à ______________________ et à

______________________ , on peut en admirer des milliers.

Revenons à ta lecture : « La migration ».

1- Quand les oiseaux entreprennent-ils leur long voyage ?

Chaque année, des millions d'oiseaux entreprennent un long voyage

____ .

2- Pourquoi partent-ils ?

Ils partent pour aller ______________________ , là où il fait

______________________ , là où la ______________________ .

3- Quand reviendront-ils ?

Ils reviendront ______________________ .

4- Quelles sont les difficultés de ces voyages ?

Les oiseaux migrateurs doivent voler parfois ______________________

__________________________, continuer leur chemin ____________

__________________________ ou sans __________________________,

voyager dans _________________________, sans s'épuiser

complètement.

5- Qu'est-ce qui guide les oiseaux migrateurs ?

Les oiseaux migrateurs sont guidés par leur ____________________.

6- Nomme les autres animaux du récit qui vivent aussi de grands voyages.

Parmi les autres animaux qui vivent les grands voyages de la

migration, il y a ____________________________________, des

____________________ et des __________________________.

7- Où l'oiseau revient-il au printemps ?

Au printemps, l'oiseau revient __________________________________

____.

8- Dessine ci-dessous un oiseau ou un poisson migrateur. Identifie-le par son nom que tu dois écrire *correctement*.

À ton tour…
d'organiser un voyage.

Les humains aussi voyagent : les avions, les voitures, les trains et les bateaux sont remplis toute l'année de voyageurs et de voyageuses qui se promènent partout dans le monde.

À ton tour de partir !

Choisis l'endroit où tu veux aller.

Indique les préparatifs de toutes sortes qui conviennent au moyen de transport que tu veux utiliser.

Avec qui veux-tu voyager ? As-tu fait des réservations ? Iras-tu en visite chez des parents ?

Essaie de ne rien oublier, surtout si tu veux aller loin… Si tu ne sais pas comment te préparer, demande des renseignements à la gare, à l'aéroport, à une agence de voyages, à une personne de ton entourage qui a déjà voyagé…

Bon voyage !

Mon titre : ______________________________

____

____

____

____

____

____

____

____

____

____

____

____

Les trois oiseaux de boue

À la découverte... *de la boue.*

1- Qu'est-ce que la boue ?

La boue est de la ______________________________ .

2- La boue porte différents noms selon l'endroit où elle se trouve. Complète les définitions suivantes:

La bourbe est la boue ______________________________ .

La fange est une boue ______________________________ .

La gadoue est aussi de la ______________________________ .

Le limon est de la ____________________ entraînée par les eaux et

déposée sur les ____________________ des cours d'eau.

3- Complète les phrases suivantes :

Les enfants ont joué dans la ____________________ ; leurs souliers

et leurs vêtements sont tout ____________________ .

Mon petit frère aime ____________________ dans la boue.

Il pleuvait tellement que la voiture s'est ____________________ dans

la boue des ornières sur la route du lac.

4- Que fait-on pour nettoyer le fond boueux d'un canal ou d'une rivière ?

Pour nettoyer le fond d'un canal ou d'une rivière, on

____________________ la boue.

5- Comment appelle-t-on la bande de métal qui protège la roue d'une bicyclette ou d'une moto contre les éclaboussures ?

La bande de métal qui protège la roue d'une bicyclette ou d'une moto s'appelle un _______________ .

6- À quoi la boue peut-elle parfois servir ?

Certaines formes de traitement comprennent des _______________ de _______________ . D'autre part, dans certains pays, on construit encore des _______________ avec de la boue et de la paille.

7- Comment la boue peut-elle être utile aux animaux ?

Certains animaux, comme les hippopotames et les éléphants, prennent des bains de _______________ pour se débarrasser des _______________ qui collent à leur peau.

8- Comment appelle-t-on le petit tapis que l'on place sur le seuil d'une porte où l'on peut essuyer ses souliers avant d'entrer ?

Avant d'entrer dans la maison, on enlève la boue de ses souliers sur le _______________ placé devant la porte.

Revenons à ta lecture : « Les trois oiseaux de boue ».

1- De quelle ville est-il question dans cette histoire ?

La ville dont il est question est _______________ .

2- Qui édifia la cité de Tibériade ?

Cette cité fut édifiée par _______________

_______________ .

3- En l'honneur de quel empereur le fils d'Hérode baptisa-t-il la ville de Tibériade ?

Tibériade fut baptisée en l'honneur de l'empereur ________________ .

4- Quels oiseaux voyait-on près du lac ?

Le lac était hanté par des ________________________ ,

des ________________________ , des ________________________ ,

des ________________________ et des ________________________ .

5- Dans quel village habitaient Luc, Marc et Jésus ?

Les trois enfants habitaient le village de ________________________ .

6- Pourquoi le chemin de Nazareth était-il boueux ?

Le chemin de Nazareth était boueux ______________________________

____ .

7- À quoi les trois enfants s'occupaient-ils après avoir façonné un lac ?

Ils essayaient de façonner ______________________________________

____ .

8- Quel oiseau Luc essaya-t-il de représenter ?

Luc fit quelque chose d'informe qui avait la prétention de ressembler à un ____________________ .

9- Quel oiseau Marc voulait-il représenter ?

Marc essaya de transformer sa boue en ____________________ .

10- Quel oiseau le troisième enfant pétrissait-il ?

Le troisième enfant pétrissait une ____________________ .

11- Par qui le jeu des enfants fut-il interrompu ?

Le jeu des enfants fut interrompu par ______________________________

____ .

12- Pourquoi les mamans appelaient-elles les enfants ?

Les mamans appelaient leurs enfants parce que ____________________

____ .

13- Lequel des trois enfants répondit au premier appel de sa mère ?

Ce fut ____________________ qui répondit au premier appel de sa mère.

14- Qu'est-il arrivé à chacun des oiseaux de boue ?

Le cormoran de Luc et le pélican de Marc se sont ________________ ;

la mouette de Jésus ________________________ .

15- Dessine un cormoran, un pélican et une mouette.

À ton tour…
de raconter un jour d'orage.

Un certain jour, toi et tes amis avez été surpris par l'orage.

Où étiez-vous ? Était-ce un pique-nique ? Une excursion à bicyclette ? Étiez-vous en bateau ?

L'orage vous a trempés !

Comment êtes-vous revenus à la maison? Y a-t-il eu un accident ?

Allais-tu à l'école ce jour-là ?

Vos parents étaient-ils au courant de vos jeux ?

Y avait-il des éclairs ? du tonnerre ? un grand vent ?

As-tu vu un arc-en-ciel après l'orage ?

Mon titre : ______________________________

Le « némeraude »

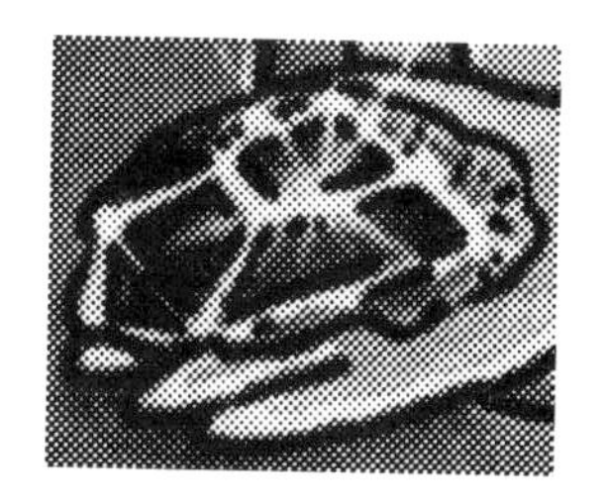

À la découverte… *de l'émeraude.*

1- Qu'est-ce qu'une émeraude ?

Une émeraude est une ______________________________ .

2- Quelle est la couleur de l'émeraude ?

L'émeraude est ____________________ .

3- Où trouve-t-on l'émeraude ?

On trouve l'émeraude dans une variété de ____________________ de la nature du granite.

4- À quoi sert l'émeraude ?

L'émeraude sert à la fabrication de ____________________ .

5- Quelle pierre précieuse est plus dure que l'émeraude ?

Le ____________________ est une pierre plus dure que l'émeraude.

6- Nomme des bijoux qui peuvent être ornés de pierres précieuses comme le diamant et l'émeraude.

Certains bijoux, comme des ____________________ ,

des ____________________ , des ____________________ ou

des ____________________ sont ornés de pierres précieuses,

comme le diamant et l'émeraude.

7- Quel métier pratique la personne qui fabrique des bijoux avec des pierres précieuses comme l'émeraude ?

La personne qui fabrique des bijoux pratique le métier de

____ .

8- Qu'est-ce qu'un morillon ?

Un morillon est une petite ______________________ brute, mais d'une valeur appréciable.

Revenons à ta lecture : Le « némeraude ».

1- Où les petits garçons du récit étaient-ils en train de jouer ?

Les petits garçons du récit jouaient

____ .

2- Comment s'appelaient les trois petits garçons ?

Les trois petits garçons s'appelaient ____________________________ ,

______________________________ et ______________________________ .

3- Qui vint les rejoindre au bord de l'eau ?

Les trois petits garçons furent rejoints par leurs ____________________ .

4- Quel objet Pip montra-t-il à ses cousines ?

Pip leur montra ____

____ .

5- Comment s'appelaient les trois cousines ?

Les trois cousines s'appelaient ______________________________ ,

______________________________ et ______________________________ .

6- D'où viennent les choses que Pip a découvertes enterrées dans le sable ?

Les choses enterrées dans le sable viennent de ____________________ .

7- Pourquoi Rags versait-il tout le temps de l'eau sur le sable ?

Rags versait tout le temps de l'eau pour ______________________

le sable et ____

____ .

8- Comment les filles promirent-elles de ne rien dire de la trouvaille de Pip ?

Les filles promirent de ne rien dire de la trouvaille en prononçant un

serment : ______________________________________ .

9- Que virent les filles quand Pip ouvrit la main ?

Pip ouvrit la main et il éleva dans la lumière ________________

____

____

____ .

10- Quel était le nom de cet objet ?

Cet objet était une ____________________ .

11- Comment Pip savait-il que cette pierre était une émeraude ?

Pip savait que la pierre était une émeraude parce que sa __________

________________ en avait une dans une ________________ .

12- Pourquoi Pip dit-il « un néméraude » au lieu de « une émeraude » ?

Pip dit « un néméraude » parce qu'il ne sait pas que *émeraude* est un

mot ________________ et aussi parce qu'il ne sait pas que ce

mot commence par la voyelle _________ .

À ton tour...
de décrire ton coffre aux trésors.

Quel est l'objet que tu possèdes et qui est pour toi le plus précieux, le plus important ? Un objet auquel tu tiens tellement que tu as du chagrin à la simple idée de le perdre !

Où gardes-tu ce trésor ? L'as-tu trouvé ? L'as-tu reçu en cadeau ? À quoi peut-il servir ?

As-tu plusieurs « trésors » que tu tiens absolument à conserver ?

Nomme ces objets et décris-les.

Écris les raisons de ton attachement à ceux que tu préfères ; décris les soins dont tu les entoures.

Mon titre : ______________________________

____

____

____

____

____

____

____

____

____

____

____

____

____

____

____

____

Vive les vacances !

À la découverte…
du dernier jour d'école.

1- À quelle date a eu lieu le dernier jour d'école, l'année dernière ?

L'année dernière, le dernier jour d'école

était le ______________________________ .

2- Y a-t-il eu une fête pour toute l'école ou seulement dans ta classe ? (Choisis ta réponse et souligne-la.)

a) Il y a eu une grande fête pour toute l'école.

b) La fête a eu lieu séparément dans chaque classe.

c) Il y a eu une fête de fin d'année dans toute l'école, mais nous avons aussi fêté dans ma classe de quatrième.

d) L'année dernière, on n'a pas fêté la fin de l'année scolaire.

3- Quelle sorte de fête a-t-on organisée pour la fin de l'année ? (Choisis ta réponse et souligne-la.)

a) Il y a eu une distribution de prix.

b) Il y a eu une après-midi musicale.

c) Nous avons fait un pique-nique à l'extérieur.

d) Il y a eu des épreuves sportives.

4- La fête, à ton école, a peut-être été différente. Indique quelle sorte de fête a eu lieu dans ton école ou dans ta classe.

La fête de fin d'année a été ______________________________________

____

____ .

5- As-tu assisté à la fête de fin d'année ? (Choisis ta réponse.)

___________ , j'ai assisté à la fête de fin d'année.
(Réponds à la question 6.)

___________ , je n'ai pas assisté à la fête de fin d'année parce que

____

____ .

6- Comment as-tu participé à la fête ?

____

____

____

____

7- Quel temps faisait-il ce jour-là ?

Pour la fête de l'année dernière, il faisait _______________

____ .

8- As-tu déjà reçu des récompenses de fin d'année ? (Choisis ta réponse.)

___________ , je n'ai jamais reçu de récompenses de fin d'année.

___________ , j'ai reçu _______________________

____ .

9- Quelle sorte de fête choisirais-tu si on te demandait d'organiser la fête de fin d'année ?

Si on me demandait d'organiser la fête de fin d'année, je ___________

____

____

____

____ .

10- Est-ce qu'on invite les parents à la fête de fin d'année de ton école ? (Choisis ta réponse.)

____________ , les parents ne sont pas invités.

____________ , nous pouvons inviter nos parents.

Revenons à ta lecture : « Vive les vacances ! »

1- Quels sont les mois des vacances dans notre pays ?

Au Canada, les écoliers et les écolières sont en vacances en ________________________ et en ________________________ .

2- Dans le récit de Réjean Ducharme, quels objets la maîtresse a-t-elle distribués aux enfants ?

La maîtresse a distribué des ________________________ et des ________________________ .

3- Comment Asie Azothe et sa compagne sont-elles sorties de l'école ?

Asie Azothe et sa compagne sont sorties comme des ______________ ____ .

4- Qu'ont-elles entendu dans le silence de la cour de récréation ?

Elles ont entendu chanter ________________________ ____ .

5- Qu'est-ce qui les incitait à courir plus vite ?

Dans la grande cour vide, ________________________ les incitait à courir plus vite.

6- Où se trouvaient les rares touffes de chiendent ?

Les touffes de chiendent se trouvaient ______________________________

____ .

7- Pourquoi les touffes de chiendent étaient-elles devenues rares ?

Les touffes de chiendent étaient devenues rares à cause des

____

_______________________________ de passants qui les avaient usées.

8- À quoi les rares touffes de chiendent sont-elles comparées ?

Les touffes de chiendent sont plus rares que ______________________

____ .

9- Pourquoi penses-tu qu'un seul des millions d'oiseaux du bosquet chantait ce jour-là ?

Je pense qu'un seul oiseau chantait parce :

____

____ .

10- Illustre une fête de fin d'année.

À ton tour...
de raconter la sortie de l'école.

C'est le dernier jour de l'année scolaire. La fête est terminée.

Raconte la sortie de l'école avec tes camarades.

Qu'avez-vous fait ensuite ? Quels étaient les projets de vacances pour toi et ta famille ? Quels sentiments éprouvais-tu après une longue année d'étude ?

Quel temps faisait-il ?

As-tu parlé de la fête de l'école à quelqu'un de ta famille ?

Avais-tu hâte aux vacances ?

Mon titre : ______________________________

____

____

____

____

____

____

____

____

____

____

____

____

____

____

____

____

Tante Irène

À la découverte...
de ta tante préférée.

Parmi les sœurs de ton père et de ta mère, il y en a une que tu préfères. Peut-être est-elle ta marraine ? Veux-tu nous la présenter ?

1- Quel est le prénom de la tante que tu préfères ?

Ma tante préférée s'appelle ______________________________ .

2- Où habite-t-elle ?

Elle habite ______________________________________ .

3- Vient-elle souvent te visiter à la maison ? (Choisis ta réponse.)

__________ ; elle vient à la maison très souvent.

__________ ; je ne la vois presque jamais.

4- Quelles sont ses plus grandes qualités ?

Ses plus grandes qualités sont ______________________________

____ .

5- À quelles occasions la visites-tu toi-même ?

Je vais en visite chez ma tante ______________________________

____ .

6- Ta tante préférée a-t-elle des enfants ? (Choisis ta réponse.)

__________ , elle a ___________ enfants.

__________ , elle n'a pas d'enfant.

7- Quel est son métier ou sa profession ? (Choisis ta réponse .)

Elle exerce la profession de ________________________________ .

Elle pratique le métier de ________________________________ .

8- Quel est le jour de son anniversaire ?

Le jour de son anniversaire est le ____________________________ .

Revenons à ta lecture : « Tante Irène ».

1- Quand tante Irène s'amenait-elle à la maison ?

Tante Irène s'amenait à la maison ________________________ .

2- Qu'apportait-elle à cette occasion ?

Elle était porteuse de ______________________________________

____ .

3- Quelle sorte de manteau portait-elle ?

Elle était vêtue d'une ______________________________________ .

4- Quel petit nom donnait-elle à son neveu ?

Elle l'appelait « ____ ».

5- De qui cette tante était-elle la sœur?

Elle était l'unique sœur de ____________________ du petit garçon.

6- Crois-tu que le petit garçon ait connu sa grand-mère maternelle ?

Non, je ne le crois pas puisque ____________________________

____

____ .

7- La tante du petit garçon était-elle en bonne santé ?

Non, elle était ____ .

8- Quelle était la profession de tante Irène?

Tante Irène était ____________________ .

9- Quel est le jouet dont se souvient le petit garçon ?

Le seul jouet dont il se souvient est un _________________________

___________________________ .

10- Où jouait-il avec son sous-marin ?

On l'avait laissé seul dans ________________________________ .

11- Pourquoi le petit garçon était-il resté dans la salle de bains alors qu'il mourait d'envie de descendre rejoindre tante Irène ?

Il était resté auprès de son sous-marin parce qu'il connaissait la

____ : un capitaine

____ .

12- Comment se comportait le sous-marin dans la baignoire ?

Dans la baignoire, le petit sous-marin ___________________________

____

____

____ .

À ton tour…
de décrire un cadeau de ta tante.

Ta tante préférée – celle que tu nous as présentée dans la section « À la découverte » – t'a certainement offert des jouets, aux Fêtes ou pour ton anniversaire.

Quel a été le plus précieux pour toi ?

Décris-le. Comment fonctionnait-il ? De quelle couleur était-il ? Quelle était sa forme ?

L'as-tu conservé longtemps ? Est-il toujours en bon état ? Qui t'a montré à l'utiliser ?

Avec qui jouais-tu quand tu partageais ce jouet ? Quel âge avais-tu quand tu l'as reçu ?

Mon titre : ______________________________

____

____

____

____

____

____

____

____

____

____

____

____

____

____

____

Le ruban jaune

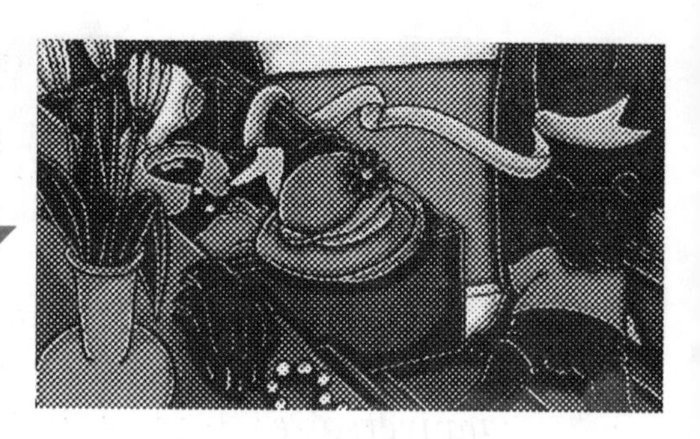

À la découverte...
des rubans.

1- À quoi servent les rubans ?

Les rubans servent à ____________________ des vêtements ou à ____________________ certains objets.

2- Quels tissus utilise-t-on pour faire des rubans ?

On utilise le ____________________ , le ____________________ , la ____________________ , le ____________________ pour faire des rubans.

3- Comment appelle-t-on les nœuds confectionnés avec du ruban ?

Avec du ruban on peut faire différents nœuds :

des ____________________ , des ____________________ ,

des ____________________ , des ____________________ ,

des ____________________ , des ____________________ .

4- Complète les phrases suivantes :

La bouffette sert à garnir un ____________________ ou une ____________________ .

Les choux ____________________ les emballages de cadeaux.

Les catogans retiennent les ____________________ sur la nuque.

La rosace a la forme d'une ____________________ .

La cocarde est un ____________________ circulaire.

La faveur est un ____________________ de ____________________ étroit.

5- Complète les phrases suivantes :

On a attaché ce ______________________ avec une faveur rose.

Le bolduc est un ______________________ de coton ou de lin qui sert à attacher de petits paquets.

6- Comment appelle-t-on une personne qui fabrique ou vend des rubans ?

Une personne qui fabrique ou vend des rubans est un

______________________ ou une ______________________ .

7- Comment appelle-t-on le ruban qui sert à enregistrer les sons ?

On enregistre les sons avec le ruban ______________________ d'un magnétophone.

8- Comment appelle-t-on le ruban avec lequel tu peux recoller une page déchirée ?

Je peux recoller une page déchirée avec du ruban __________________ .

Revenons à ta lecture : « Le ruban jaune ».

1- Quelle chambre était interdite à la narratrice ?

Il était interdit à la narratrice de poser un pied sur le seuil de la

chambre d' ______________________ .

2- Comment la narratrice a-t-elle pu apercevoir le ruban jaune sans entrer dans la chambre ?

Le ruban jaune ____

____ .

3- Pourquoi la narratrice tenait-elle tellement à ce bout de ruban ?

La narratrice l'aurait peut-être mis ______________________________

de sa poupée ou dans ses propres ____________________ , ou bien

au cou de ____ .

4- Quel conseil la maman de la narratrice donnait-elle à l'enfant qui voulait absolument obtenir quelque chose ?

La maman de la narratrice enseignait à sa petite fille que __________

____

____ .

5- Par quels mots la narratrice aborde-t-elle sa sœur ?

La narratrice dit à sa sœur : ______________________________

____ .

6- Quelle fut la réaction d'Odette à la demande de sa sœur ?

Odette bondit de colère et accusa sa sœur d'avoir __________

____ .

7- Quelle était la réputation de la narratrice ?

La narratrice avait la terrible réputation d'être ______________ .

8- Méritait-elle cette mauvaise réputation ?

La narratrice était ______________________________________

____ ;

elle ne méritait donc pas cette mauvaise réputation.

9- Où alla-t-elle se cacher pour se consoler de l'accusation d'Odette ?

La narratrice s'en alla ______________________________ qu'elle

avait ______________________________ .

10- À quoi ressemblait cette cabane ?

Cette cabane ressemblait à une ________________________________

car elle n'avait que ______________________________ .

À ton tour...
de demander une permission.

Tu aimerais passer une fin de semaine chez un ami ou une copine ?

Écris un billet à tes parents pour leur demander cette permission.

Donne-leur tous les renseignements sur l'invitation que tu as reçue.

Tes explications et le ton de ta lettre doivent rassurer tes parents. Quelles seront vos occupations ? Où irez-vous ? L'autre famille est-elle d'accord ? Comment tes parents pourront-ils te rejoindre si nécessaire ?

Et n'oublie pas le conseil de la maman de la narratrice : « Ce que l'on demande gentiment, de tout cœur, on l'obtient. »

____

____

____

____

____

____

____

____

____

____

____

____

____

Le roi choisit un nouveau ministre

À la découverte...
de l'Assemblée nationale du Québec.

1- Quelle est la capitale de la province de Québec ?

La capitale du Québec est la ville de ____________________ ; c'est le siège de l'Assemblée nationale.

2- Quel nom donne-t-on, au Québec, à l'édifice où siège le gouvernement ?

L'édifice où siège le gouvernement est appelé le ________________ .

3- Quels sont les deux plus importants partis politiques du Québec ?

Les deux partis politiques les plus importants du Québec sont le Parti

____________________ et le Parti ____________________ .

4- Quel titre donne-t-on au chef du gouvernement ?

Le chef du gouvernement est le ______________________________ .

5- Comment choisit-on les membres du gouvernement du Québec ?

Les membres du gouvernement sont choisis par les

____ .

6- Comment appelle-t-on les personnes élues qui représentent chacune des régions de la province ?

Les personnes élues dans chacune des régions de la province sont les

_________________________ .

7- Comment appelle-t-on les députés à qui le premier ministre confie la charge de diriger un ministère ?

Les députés à qui le premier ministre confie la charge de diriger un ministère sont des ________________________ .

8- Quel nom donne-t-on aux députés et ministres réunis sous l'autorité du premier ministre ?

Les députés et ministres réunis sous l'autorité du premier ministre forment le ________________________ .

9- Quel est le principal rôle du gouvernement ?

Le gouvernement adopte et administre les ____________________ qui régissent la province.

10- Pour combien de temps les députés sont-ils élus ?

Chaque élection choisit la députation pour une période de ____________________ .

Revenons à ta lecture : « Le roi choisit un nouveau ministre ».

1- Quelle était la grande qualité du ministre que le roi devait remplacer ?

C'était un ministre ________________________ .

2- Pourquoi fallut-il le remplacer?

Le roi dut remplacer son ministre parce qu'il était

________________________ .

3- Par qui le roi pensa-t-il remplacer son ministre ?

Le roi avait remarqué ____

____ .

4- Pourquoi le roi confia-t-il au jeune garçon la garde d'un mulet ?

Le roi confia au jeune garçon la garde d'un mulet ______________________

____ .

5- Quel ordre le roi donna-t-il ensuite ?

Le roi ordonna à l'un de ses serviteurs de _______________________ .

6- Que fit-il ensuite ?

Après que le mulet eut été volé, le roi ____________________________

____ chez le jeune garçon.

7- Où était le jeune homme quand le roi arriva pour voir le mulet ?

Quand le roi arriva, le jeune homme était __________________________

__________________________ et le menait ___________________________

____ .

8- Qu'est-ce qu'un coursier ?

Un coursier est un __________________________________ .

9- Quelle remarque le roi fit-il en voyant le jeune homme sur les épaules de son père ?

Le roi dit au jeune homme : « _____________________________________

____

____

____

____ ».

10- Pourquoi le jeune homme offrit-il un petit âne au roi ?

Le jeune homme offrit un âne au roi pour remplacer le

______________________ mystérieusement disparu.

11- Comment le jeune homme montra-t-il qu'il avait compris la leçon du roi ?

Le jeune homme montra qu'il avait compris la leçon du roi en lui offrant un âne, ____________________ de son mulet, puisqu'un ________________________________ qu'un ____________________ turbulent.

12- Pourquoi l'âne est-il présenté comme le père du mulet ?

Le mulet est un animal dont le père est un ____________________ et la mère, une jument.

13- Quelles qualités le roi souhaitait-il pour son nouveau ministre ?

Le roi fut séduit par __________________ et la __________________ du jeune homme ; il en fit son nouveau ________________________ .

14- Illustre une des scènes du texte que tu viens de lire.

À ton tour…
de choisir un ministre.

Fais le portrait de la personne que tu aimerais voir à la tête du gouvernement de ton pays… imaginaire!

Serait-ce un homme ou une femme ? Pourquoi ?

Quelles seraient ses qualités ?

Quels projets souhaiterais-tu voir réalisés par cette personne ?

Comment devrait-elle se conduire avec les enfants ?

Que devrait-elle proposer pour rendre les gens heureux, pour combattre la pauvreté ou la pollution ?

Connais-tu une personne qui ressemble au ministre que tu choisirais ?

Tu dois montrer beaucoup d'exigence, car l'importance d'un ministre est très grande.

Mon titre : ______________________________

Les maisons de Danny

À la découverte... *de la maison.*

1- Qu'est-ce que « la maison » ?

La maison est le bâtiment que l'on _____________________ .

2- Quelles sortes de bâtiments les familles du Québec habitent-elles ?

Les familles du Québec habitent différentes sortes de bâtiments comme des édifices à __________________________ ou des maisons __________________________ .

3- Nomme les différentes pièces de la maison.

La maison comprend ordinairement une _____________________ , un __________________________ , une __________________________ , une _____________________ et plusieurs _____________________ .

4- Comment appelle-t-on la partie de la maison qui se trouve au niveau de la rue ?

La partie de la maison qui se trouve au niveau de la rue est le __________________________ .

5- Comment appelle-t-on l'étage souterrain d'une maison ?

L'étage souterrain d'une maison est le __________________________ , le __________________________ ou la __________________________ .

6- Où se trouve le premier étage d'une maison ?

Le premier étage d'une maison est au-dessus du __________________________ __________________________ .

7- Comment appelle-t-on l'étage supérieur d'une maison, directement sous le toit ?

L'étage supérieur d'une maison est le ____________________ .

8- Qu'est-ce qu'une maisonnée ?

La maisonnée est l'ensemble des ____________________ qui vivent dans la même ____________________ .

Revenons à ta lecture : « Les maisons de Danny ».

1- Comment se nomment les deux personnages du récit ?

Les deux personnages du récit sont ____________________ et ____________________ .

2- Qui vient d'hériter de deux maisons ?

L'héritier des deux maisons est ____________________ .

3- Pourquoi Pilon soupire-t-il en apprenant que Danny vient d'hériter ?

Pilon pense que cet héritage fera de Danny un ____________________ et qu'il ______________________________ qui ont tout partagé avec lui quand il était pauvre.

4- Décris la plus belle des deux maisons.

C'est une maison ____________________ qui montre des ____________________ de ____________________ , des ______________________________ .

5- Qu'y a-t-il au mur, à l'intérieur de la maison ?

Au mur, à l'intérieur de la maison, il y a le ____________________ ____________________ de 1906 et un ____________________ .

6- Qu'est-ce que la maison contient ?

La maison de trois pièces contient un ____________________ , un ____________________ et un ____________________ .

7- Qu'est-ce que Danny, devenu propriétaire, ne pourrait plus faire ?

Danny ne connaîtrait plus ____________________ , il ne ____________________ puisqu'il avait désormais ses propres fenêtres ____________________ .

8- Qu'est-ce que Pilon suggère de faire avec l'autre maison ?

Pilon suggère à Danny de ____________________ .

9- Combien Pilon offre-t-il pour la location de la maison ?

Pilon offre de payer ____________________ ____________________ .

10- Danny accepte-t-il le marché proposé par Pilon ?

Danny corrige le montant proposé par ____________________ . Il trouve que la maison vaut plus que dix dollars, qu'elle en vaut ____________________ .

11- Quel serment Danny devenu propriétaire avait-il fait à son ami Pilon ?

Pour rassurer son ami Pilon qui craignait qu'il oublie ses copains à cause de ses deux maisons, Danny avait juré que ____________________
____
____
____
____________________ .

À ton tour… *de décrire ta maison.*

Fais la liste des meubles de ta maison, en passant d'une pièce à l'autre.

Si tu ne connais pas le nom exact d'un meuble, cherche-le, c'est important. (Exemple : un divan, un canapé, un sofa ou une causeuse sont des meubles différents et tu dois connaître le nom qui convient à chacun.)

Demande les noms que tu ignores si tu ne peux les trouver à l'aide d'un dictionnaire.

Complète la liste des pièces de ta maison.

Dans la cuisine, il y a ______________________________

____

____

____

Dans le salon, il y a ______________________________

____

____

____

Dans ma chambre, il y a ______________________________

____

____

____

Les autres pièces sont ______________________________

____

____

____

Les requins du Québec

À la découverte...
des requins.

1- À quel groupe d'animaux le requin appartient-il ?

Le requin est un ______________________ .

2- Quelles mers le requin habite-t-il ?

Le requin habite les mers ______________________ ou

______________________ .

3- De quoi le petit requin se nourrit-il habituellement ?

Le petit requin se nourrit habituellement de ______________________

et de ______________________ .

4- Il y a plusieurs sortes de requins. Nomme ceux dont tu connais le nom.

Dans la grande famille des requins, il y a le requin ________________ ,

le requin ________________ , le requin ________________ ,

le requin de ________________ , le requin ________________ .

5- Tous les requins sont-ils dangereux pour les humains ?

Certains requins sont tout à fait inoffensifs comme le

________________ zébré ou le ________________ -tapis,

par exemple.

6- Quel est le plus dangereux des requins ?

Le plus dangereux des requins est le requin ________________________
qui mesure plus de __________________ mètres de long et pèse jusqu'à
_________________ tonnes. C'est un mangeur d'hommes !

7- Quel est le plus gros des requins ?

Le plus gros des requins est le ____________________________________ .

8- Quelle est la taille du requin-baleine ?

Le requin-baleine mesure de ______________________ à
______________________ mètres.

9- Quel est le plus petit requin connu ?

Le plus petit requin connu est la _______________________________ .

10- Quelle est la taille du plus petit requin connu ?

La petite roussette mesure ____________________________________ .

Revenons à ta lecture : « Les requins du Québec ».

1- Parmi les trois cents espèces de requins connues, combien visitent les côtes maritimes de la province de Québec ?

Parmi les trois cents espèces de requins connues, ____________________ visitent les côtes maritimes de la province de Québec.

2- Écris le nom de chacune des sept espèces de requins qui fréquentent le golfe du Saint-Laurent.

Les espèces de requins qui fréquentent le golfe du Saint-Laurent sont :

l' ______________________________ ,

l' ______________ , la ______________ ,

la ______________________________ ,

le ______________ , le ______________

et le ______________________________ .

3- Ces divers requins vivent-ils toujours dans les eaux du golfe ?

Non, ces requins ne sont que des ______________

______________ .

4- Où passent-ils l'hiver ?

Ils passent généralement l'hiver ______________ .

5- Pourquoi reviennent-ils dans les eaux canadiennes au printemps ?

Ils reviennent au printemps pour retrouver ______________

____

______________________________ .

6- Où la laimargue migre-t-elle l'été venu ?

Après avoir passé l'hiver, parfois l'automne et le printemps, dans les eaux du golfe du Saint-Laurent, la laimargue, l'été venu, migre vers les eaux de l'océan ______________ .

7- Quel est le plus gros poisson du monde ?

Le plus gros poisson du monde est le ______________ .

8- Quel est le deuxième plus gros poisson du monde ?

Le deuxième plus gros poisson du monde est le requin

______________ .

9- De quoi le requin pèlerin se nourrit-il ?

Le pèlerin, notre géant, est l'un des trois seuls requins qui se nourrissent de ______________________ .

10- Qu'a-t-on retrouvé dans l'estomac d'une laimargue de cinq mètres ?

On a retrouvé dans l'estomac d'une laimargue de près de cinq mètres ____ de plus de deux mètres.

11- Où a-t-on retrouvé un caribou complet ?

On a retrouvé un caribou complet dans ____________________ d'une autre ____________________ .

12- Quelles sont les proies favorites du grand requin blanc ?

Les proies favorites du grand requin blanc sont les ________________ et les ____________________ .

13- Dessine un requin.

À ton tour…
de te renseigner sur les requins.

Cherche dans les documents à ta disposition, dictionnaires, encyclopédies, ouvrages scientifiques, des renseignements sur toutes les espèces de requins. Une fois tes recherches terminées, rédige à ta façon une page de zoologie, cette science passionnante qui étudie les animaux.

N'oublie pas de donner le titre de l'ouvrage consulté et le nom de la personne qui l'a écrit.

Mon titre : ______________________________

Le jars

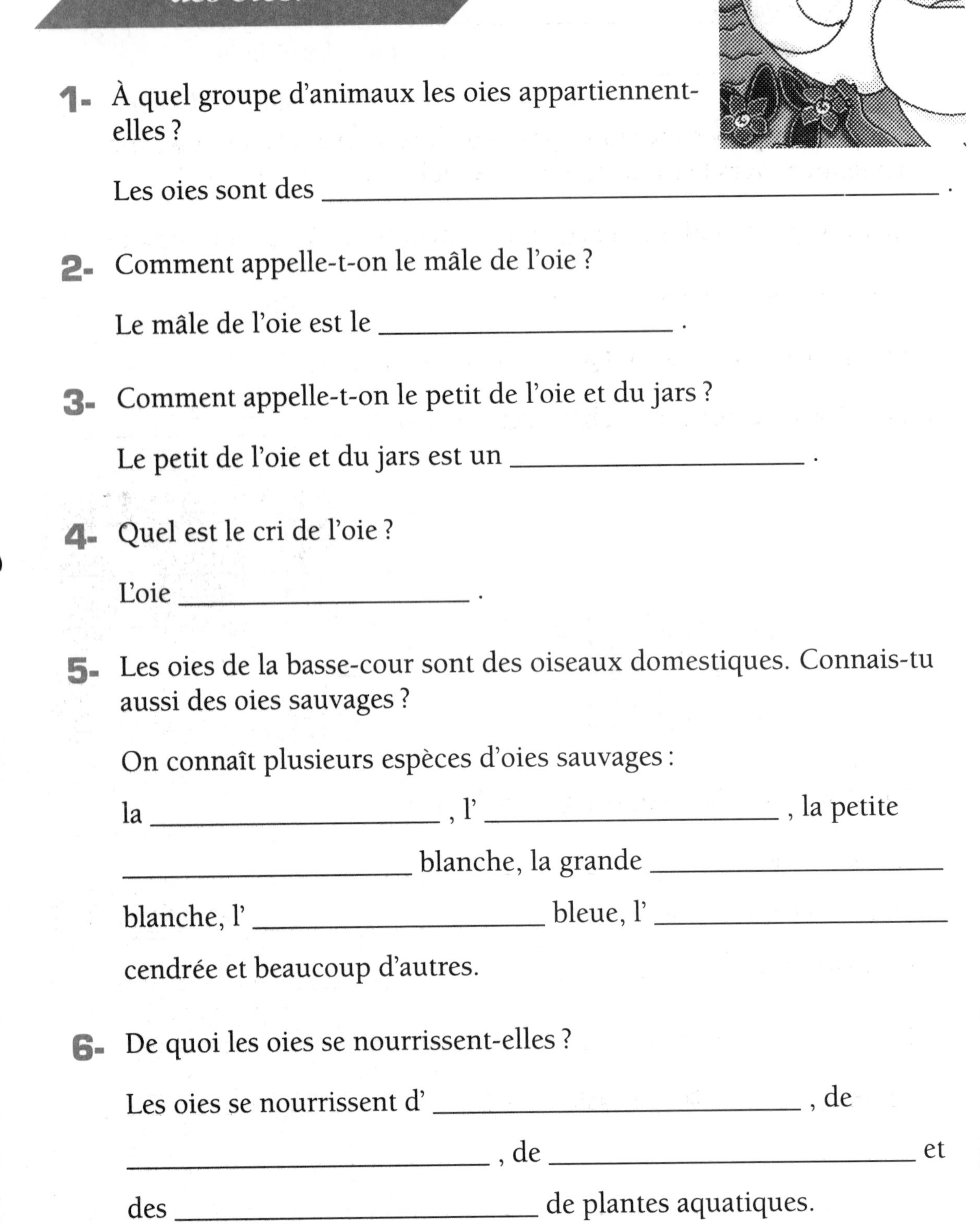

À la découverte… *des oies.*

1- À quel groupe d'animaux les oies appartiennent-elles ?

Les oies sont des _______________________________________ .

2- Comment appelle-t-on le mâle de l'oie ?

Le mâle de l'oie est le ____________________ .

3- Comment appelle-t-on le petit de l'oie et du jars ?

Le petit de l'oie et du jars est un ____________________ .

4- Quel est le cri de l'oie ?

L'oie ____________________ .

5- Les oies de la basse-cour sont des oiseaux domestiques. Connais-tu aussi des oies sauvages ?

On connaît plusieurs espèces d'oies sauvages :

la ____________________ , l' ____________________ , la petite ____________________ blanche, la grande ____________________ blanche, l' ____________________ bleue, l' ____________________ cendrée et beaucoup d'autres.

6- De quoi les oies se nourrissent-elles ?

Les oies se nourrissent d' ________________________ , de ________________________ , de ________________________ et des ________________________ de plantes aquatiques.

7- Qu'est-ce que le gavage ?

Le gavage est un mode d' ________________________ forcée qui a pour but d'engraisser rapidement un animal.

8- Quel aliment obtient-on par le gavage des oies ?

On obtient du ______________________ en gavant les

_____________________ .

9- Au printemps, les oies sauvages vont vers le sud; à l'automne, elles reviennent vers le nord; comment appelle-t-on ces voyages ?

Les voyages des oies sauvages au printemps et à l'automne sont des

__________________________ .

10- Où les oies sauvages du Québec font-elles leur nid ?

Les oies sauvages du Québec font leur nid _____________________ .

Revenons à ta lecture : « Le jars ».

1- Quelles étaient les qualités du jars de ce récit ?

C'était un jars _______________________ , _______________________

dans son plumage blanc, __________________ et _________________ ,

d'une autorité ____ .

2- Que faisait le jars pendant que les oies picoraient ou s'épivardaient ?

Pendant que les oies picoraient, le jars, la tête attentive, ____________

____

____ .

3- Que faisait le jars quand les oies se déposaient paresseusement dans un fourré pour fuir les ardeurs du soleil ?

Quand les oies se déposaient paresseusement dans un fourré pour fuir les ardeurs du soleil, le jars, lui, ______________________________

____ .

4- Quelle personne détestait le jars ? Pourquoi ?

Parce que le jars, à la moindre contrariété, manifestait une humeur fort ______________ , la ______________ l'avait pris en grippe.

5- Où se trouvait le jars quand l'accident est survenu ?

Conscient du danger possible, le jars ______________________

______________ .

6- Comment le jars fut-il tué ?

Le jars allait se trouver en zone sûre ______________________

____

____ .

7- Quel mot indique que l'accident aurait pu être évité ?

L'accident aurait pu être évité si le conducteur de la voiture qui happa le jars n'avait pas été un ______________________ .

8- Que firent les oies quand on emporta le corps inerte de leur jars bien-aimé?

Quand on enleva le corps inerte de leur jars bien-aimé, ______________

____

____

____ .

9- Comment les oies exprimaient-elles leur tristesse?

Les oies disaient leur profonde tristesse par leur ____________________

____________________ .

10- Quelle avait été la tâche du jars durant toute sa vie?

Toute la vie du jars avait été dévouée à ____________________________

____ .

À ton tour... *de raconter un accident.*

Tu as déjà vu un accident ?

Qui a eu cet accident: une personne ou un animal ?

Où cet accident a-t-il eu lieu? Y a-t-il eu des blessés ? Était-ce un accident de voiture, de train ?

Raconte un accident dont tu as été témoin... Tu as peut-être toi-même été victime d'un accident. Comment est-ce arrivé ? En jouant... ? Sur le chemin de l'école... ?

Fais ton récit en tâchant de fournir tous les renseignements possibles, dans des phrases complètes, comme un bon reporter, comme une bonne journaliste.

Mon titre : ______________________________

____

____

____

____

____

____

____

____

L'éléphant et l'océan

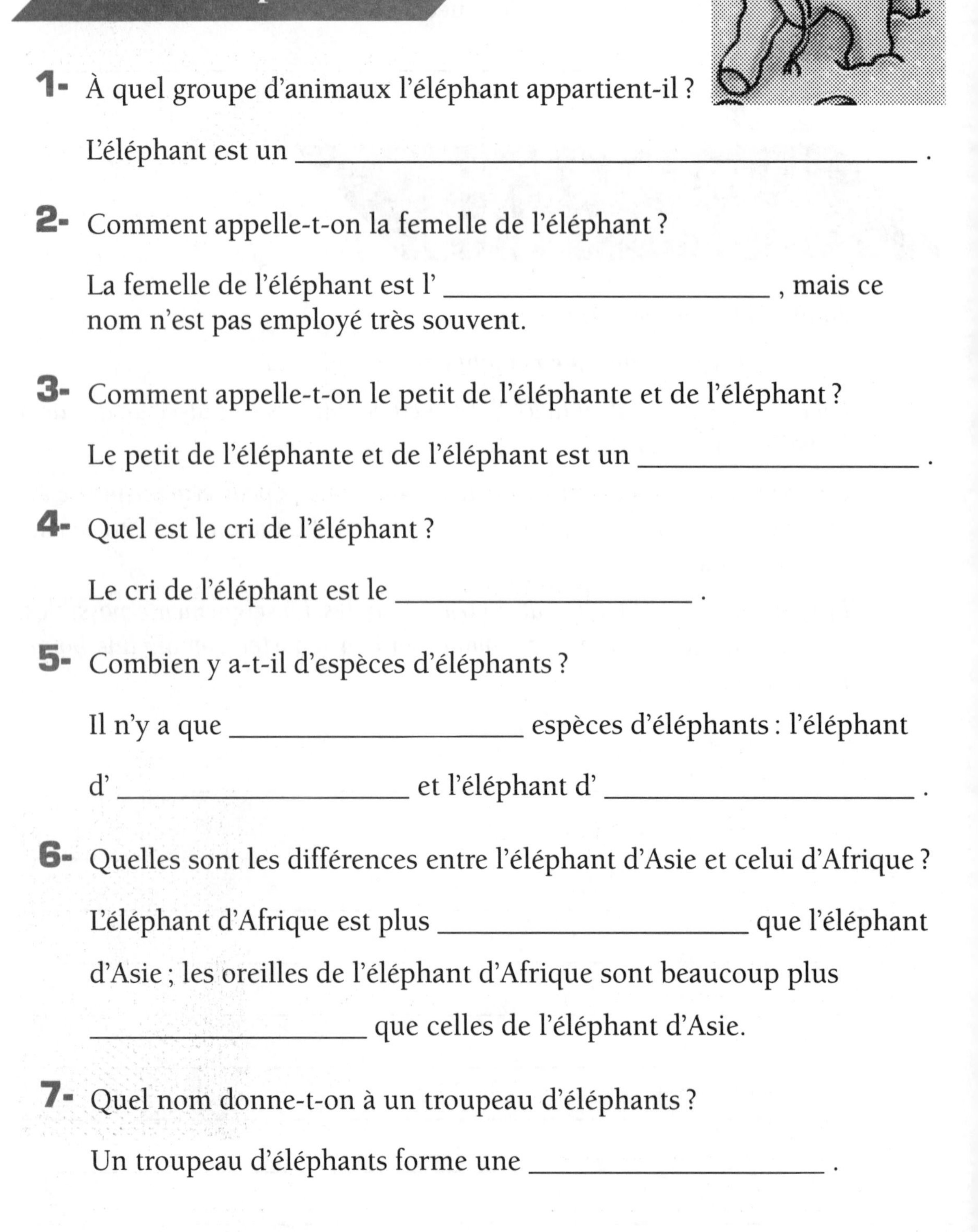

À la découverte… *de l'éléphant.*

1- À quel groupe d'animaux l'éléphant appartient-il ?

L'éléphant est un ____ .

2- Comment appelle-t-on la femelle de l'éléphant ?

La femelle de l'éléphant est l' ______________________ , mais ce nom n'est pas employé très souvent.

3- Comment appelle-t-on le petit de l'éléphante et de l'éléphant ?

Le petit de l'éléphante et de l'éléphant est un ___________________ .

4- Quel est le cri de l'éléphant ?

Le cri de l'éléphant est le ____________________ .

5- Combien y a-t-il d'espèces d'éléphants ?

Il n'y a que ____________________ espèces d'éléphants : l'éléphant

d' ____________________ et l'éléphant d' ____________________ .

6- Quelles sont les différences entre l'éléphant d'Asie et celui d'Afrique ?

L'éléphant d'Afrique est plus _____________________ que l'éléphant

d'Asie ; les oreilles de l'éléphant d'Afrique sont beaucoup plus

___________________ que celles de l'éléphant d'Asie.

7- Quel nom donne-t-on à un troupeau d'éléphants ?

Un troupeau d'éléphants forme une ____________________ .

8- L'éléphant est-il carnivore ou herbivore ?

L'éléphant est ________________________ ; il se nourrit de

__________________________ , de __________________________ ,

de ________________________ , d' ________________________ et de

jeunes pousses.

9- La gestation est le temps où la femelle porte son petit dans son ventre. Quelle est la durée de la gestation de l'éléphante ?

La gestation de l'éléphante d'Afrique dure _________________ mois ;

la gestation de l'éléphante d'Asie peut durer jusqu'à _______________

____________________ mois.

10- Quel est le poids des éléphants ?

Les éléphants d'Afrique peuvent peser jusqu'à _________________ ,

l'éléphant d'Asie peut atteindre ____________________ .

11- Quel poids de végétaux un éléphant en liberté peut-il manger chaque jour ?

Un éléphant en liberté peut manger jusqu'à _____________________ kilos de végétaux par jour.

12- Quelle est la couleur des éléphants ?

Les éléphants ont la peau ____________________ .

Revenons à ta lecture : « L'éléphant et l'océan ».

1- Fais la liste des noms d'animaux rencontrés par l'éléphant.

Les animaux rencontrés par l'éléphant sont :

le __________________________ ,

le __________________________ et la ________________________ .

2- Quelle question l'éléphant pose-t-il à chacun des animaux qu'il rencontre ?

À chacun des animaux qu'il rencontre, l'éléphant pose la question suivante : « ____ »

3- Cite la réponse complète du petit paon.

À la question de l'éléphant, le petit paon a répondu : ____________

____

____ .

4- Que pense l'éléphant de la réponse du paon ?

L'éléphant pense que le petit paon est un ________________ et que l'océan ____________________________ pour qu'il puisse ______________________ .

5- Quelle réponse le girafeau fait-il à l'éléphant ?

Le girafeau fait à l'éléphant ________________________ que le paon.

6- Pourquoi l'éléphant refuse-t-il de croire le girafeau ?

L'éléphant refuse de croire le girafeau parce ________________

____ .

7- Que répond la panthère à la question de l'éléphant ?

La panthère répond __________________________ que le paon et le girafeau.

8- Pourquoi l'éléphant ne croit-il pas la panthère ?

L'éléphant ne croit pas la panthère ; il croit que cet animal ________ ______________________________ qui se moque de lui.

9- Quand l'éléphant arrive-t-il enfin au bord de l'océan ?

L'éléphant arrive au bord de l'océan ______________________ .

10- Comment, d'après le conte, l'éléphant fait-il monter et descendre la marée ?

C'est en ____________________ dans l'océan que l'éléphant fait que

la marée ____ .

À ton tour... *de présenter un éléphant.*

Choisis le travail proposé au numéro 1 ou celui proposé au numéro 2.

Préfères-tu l'éléphant d'Afrique ou l'éléphant d'Asie ?

1- *Cherche dans une encyclopédie tous les renseignements possibles sur l'éléphant que tu as choisi.*

Copie ces renseignements. Indique le titre de l'ouvrage que tu as consulté, l'année de sa publication et le nom de la personne qui l'a écrit.

2- *Tu as peut-être une histoire amusante à raconter, à la manière de Simone Bussières.*

Attention! Chaque ligne devra finir en rimant avec le nom de l'animal, comme dans «L'éléphant et l'océan».

Tu veux un autre exemple ? Cheval, banal, normal, chacal, général...

Mon titre : ______________________________

____

____

____

____

____

____

____

____

____

Un invité chez les Grandet

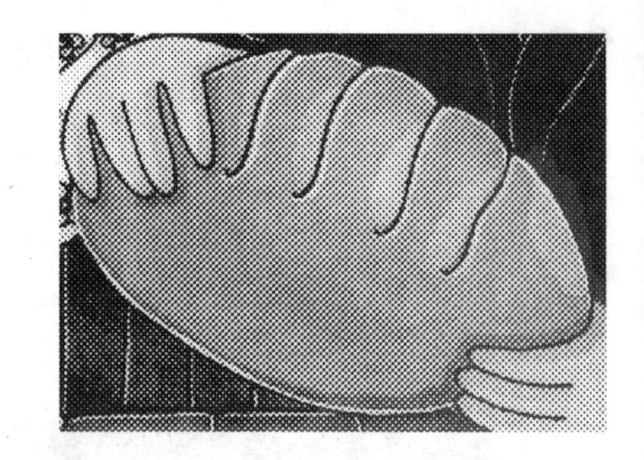

À la découverte… *du pain.*

1- Avec quels ingrédients fait-on le pain ?

On fait le pain avec de la ______________________ , de l' ______________________ , du ______________________ et de la ____________________ .

2- Où cuit-on le pain ?

On cuit le pain au ____________________ .

3- Quelle partie du pain préfères-tu ?

Je préfère la ____________________ à la ____________________ .

4- Quelles différentes farines emploie-t-on pour faire du pain ?

Pour faire du pain, on emploie de la farine de ____________________

____

____ .

5- D'où vient la levure qu'on utilise pour faire lever la pâte du pain ?

La levure est constituée de minuscules________________________ .

6- Quel est le rôle de la levure ?

La levure fait ____________________ la pâte du pain.

7- Comment appelle-t-on la personne qui fait du pain ?

La personne qui fait du pain est un ____________________ ou une ____________________ .

8- Comment appelle-t-on l'endroit où l'on prépare le pain ?

On prépare le pain dans une ______________________________ .

9- Quel nom donne-t-on au pain fait à la maison ?

Le pain fait à la maison est appelé pain ____________________ .

10- Il y a plusieurs sortes de pain. Exemples : le pain blanc, le pain noir, le pain de seigle ou de froment, le pain de mie, le pain crouté… et beaucoup d'autres. Quel est ton pain préféré ?

Mon pain préféré est le pain ______________________________ .

Revenons à ta lecture : « Un invité chez les Grandet ».

1- Nomme les produits alimentaires dont il est question dans ce récit.

Dans ce récit, il est question

de ____________________ ,

de ____________________ , de ____________________ ,

de ____________________ , de ____________________

d' ____________________ , d'une ____________________ ,

de ____________________ , d'une ____________________

aux ____________________ et de ____________________ .

2- Quelle sorte de pain les Grandet mangent-ils ?

Les Grandet mangent le ______________________________ , bien

____________________ que l'on boulange dans leur pays.

3- Où habitent les Grandet ?

Les Grandet habitent en ____________________ , une province de

____________________ .

4- Pourquoi Grandet croit-il que le pain de six livres suffira au repas que prépare Nanon ?

Grandet croit qu'il restera du pain parce que les jeunes gens de Paris

____ .

5- Quel nom donne-t-on, en Anjou, aux divers ingrédients dont on tartine le pain ?

On donne le nom de ____________________ aux divers ingrédients que l'on étend sur du pain.

6- D'où vient le visiteur attendu par monsieur Grandet ?

Le visiteur des Grandet vient de ____________________ .

7- Qu'est-ce que la servante Nanon veut préparer pour les enfants ?

Nanon veut préparer une ____________________ .

8- Avec quoi Nanon fera-t-elle la galette ?

Nanon a besoin de ____________________ et de ____________________ pour faire cette galette.

9- Quel dessert Grandet commande-t-il à Nanon pour le repas ?

Monsieur Grandet commande à Nanon de faire une

____________________ aux ____________________ .

10- Où Nanon fera-t-elle cuire le dîner ?

Nanon fera cuire tout le dîner ____________________ .

11- Pourquoi monsieur Grandet ordonne-t-il à Nanon de cuire tout le dîner au four ?

Monsieur Grandet ordonne à Nanon de cuire tout le dîner au four par

mesure d' ____________________ .

À ton tour...
de présenter une recette de pain.

Trouve à la maison ou à l'épicerie une recette pour faire du pain de ménage. Il y a des recettes sur l'emballage de la farine, de la pâte préparée, etc.

Lis attentivement cette recette et transcris-la avec soin dans ton cahier d'exercices.

Plus tard, tu pourras essayer de cuire du pain à la maison, avec l'aide de ta maman, de ton papa ou d'une autre grande personne.

Ma recette : ______________________________

____

____

____

____

____

____

____

____

____

____

____

____

____

____

____

____

Le général rentre au pays

À la découverte... *d'une partie de l'Europe.*

Pour suivre le général Dourakine à travers son long voyage de retour dans son pays, nous allons consulter notre carte de l'Europe, le globe terrestre et ton manuel de géographie. Point de départ: la France. Point d'arrivée : la Russie. Le long de la route ci-dessous tracée, inscris le nom des pays et celui des villes traversés par le général Dourakine.

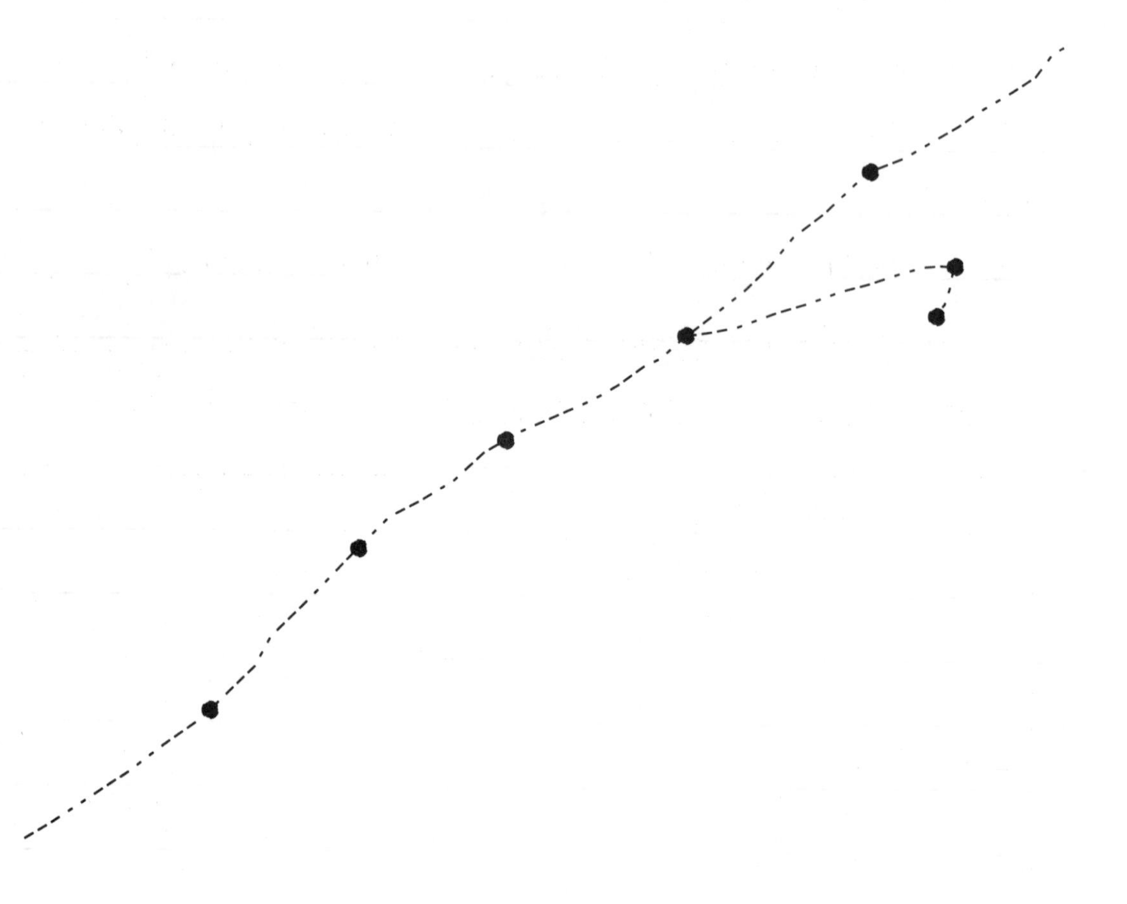

1- Dans quel pays se trouve la ville de Paris ?

La ville de Paris est la capitale de la ______________________ .

2- Quel pays voisin de la France le général Dourakine a-t-il traversé pour se rendre en Allemagne ?

Pour se rendre en Allemagne, le général a traversé la

_________________________ .

3- Le général Dourakine ne s'est pas arrêté en Allemagne. Il a poursuivi sa route vers Gjatsk. Dans quel pays se trouve cette ville ?

La ville de Gjatsk (aujourd'hui on écrit Gdansk) se trouve au nord de

la _____________________ .

4- Quelle est la capitale de la Russie ?

La capitale de la Russie est _____________________ .

5- Pourquoi le général est-il passé par Moscou ?

Le général est passé par ___________________ , parce qu'il n'y avait

pas d'autres ____________________ à cette époque pour se rendre

chez lui.

6- Quelle était la dernière ville que le général devait atteindre ?

La dernière ville que le général devait atteindre était ____________ .

7- Dessine la voiture du général Dourakine.

Revenons à ta lecture : « Le général rentre au pays ».

1- Nomme les personnes qui accompagnent le général Dourakine.

Le général est accompagné de ____________

________________________________ , de sa

____________________________ et de ses

________________________________ ,

________________________________ et ________________________________ .

Il y a aussi, pour conduire les chevaux, le ________________________ .

2- Quel est le pays natal du général Dourakine ?

Le pays natal du général Dourakine est la ________________________ .

3- Quel est le nom du domaine où le général possède une maison et des terres ?

Le domaine du général s'appelle ________________________ .

4- Près de quelle ville de Russie le domaine du général se trouvait-il ?

Gromiline se trouvait près de ________________________ .

5- Combien de temps dura chacune des étapes du voyage ?

Le général et sa famille restèrent ____________________________ à Paris,

__________________________________ en Allemagne, seulement une

____________________________ à Saint-Pétersbourg et __________________

____________________________ à Moscou.

6- Quel était le moyen de transport utilisé par le général et sa famille ?

Ils voyageaient dans une ____

______________________ que le général avait amenée depuis Loumigny.

7- Comment Dérigny entretenait-il la bonne humeur du général ?

Dérigny avait pris soin de garnir les nombreuses poches de la voiture de ________________________ et de ____________________ de toute sorte, ce qui entretenait la bonne humeur du ___________________ .

8- Qui le général désignait-il sous le nom de « izvochtchiks » ?

Le mot « izvochtchiks » désignait les _________________________ .

9- Énumère les provisions qui constituaient le petit hors-d'œuvre offert en route au général.

Pour faire attendre le dîner, Dérigny passa à Jacques, par la glace baissée, des ____ ,
de __________________________ , des _______________________ ,
de __________________________ , des _______________________ ,
des ___________________ et une bouteille de ___________________ .

10- Comment le général jugea-t-il l'auberge de Gjatsk ?

Dans cette auberge, le général trouva le dîner ____________________ et le coucher ___________________________________ .

11- Dans quel pays se trouve la ville de Gjatsk, aujourd'hui Gdansk ?

La ville de Gdansk se trouve au nord de la _____________________ .

12- Malgré le « dîner mesquin » et le « coucher dur et étroit » ? le général Dourakine réussit-il à dormir ?

Malgré le pauvre repas et l'inconfort du lit, le général Dourakine

____

____ .

13- Comment se termina le voyage ?

Après une journée fatigante, ______________________________

____

____

____ .

14- Comment le général fut-il accueilli à son arrivée à Gromiline ?

Plusieurs ____

____

et aidèrent le ____________________ engourdi à descendre de la

________________________ . Ils ________________________

____________ en l'appelant ____________________________

c'est-à-dire ____________________ . Les femmes et les enfants

____________________________ en ajoutant des exclamations

et des protestations.

15- Quand tu auras tracé ton itinéraire à la page 137, dessine ci-dessous le moyen de transport que tu as choisi.

À ton tour…
d'établir un itinéraire.

Un itinéraire est le chemin que l'on suit d'un endroit à un autre. L'itinéraire du général Dourakine était très long : il l'a mené de la France à la Russie en plusieurs semaines de route. Aujourd'hui, l'avion nous permet d'aller beaucoup plus vite ! Choisis l'endroit où tu veux te rendre. Choisis le moyen de transport qui te convient: autobus, train, avion, bateau, taxi, bicyclette, ou la marche… à pied !

Prépare ton itinéraire; indique chaque étape ainsi que les moyens de transport à utiliser d'un point à un autre.

Bon voyage !

Mon itinéraire : ______________________________

____

____

____

____

____

____

____

____

____

____

____

____

____

____

____

____

Achevé d'imprimer
en l'an mil neuf cent quatre-vingt-quinze
sur les presses des ateliers Guérin,
Montréal (Québec)